Participer à l'Univers

Participer à l'Univers

Claudia Rainville

ÉDITION DU CLUB QUÉBEC LOISIRS INC.
© Avec l'autorisation des Éditions F.R.J. inc.

Dépôt légal – Bibliothèque nationale du Québec, 1992
ISBN 2-89430-042-5
(publié précédemment sous ISBN 2-9801558-1-0
(2e édition 1990)

DÉDICACE

À ma mère, Laura Cadorette, qui, par son exemple, m'a enseigné le courage, le don de soi et la foi en la vie.

À ma mère spirituelle, Lise Bourbeau, qui par son exemple m'a donné le goût du dépassement et inspiré la tenacité devant les difficultés.

À mes enfants, Karina et Mikhaël, qui m'aident à appliquer ce que j'enseigne.

REMERCIEMENTS

Enfant, je me disais: "Plus tard, je vais écrire."
Je commençai par écrire des poèmes que je conservais secrètement. Plus tard, lorsque je commençai à animer des groupes de croissance, ce goût d'écrire me revint avec intensité. J'avais envie de partager ce que je découvrais sur moi-même et ce que m'apprenaient mes participants. Six années ont passé à aimer, donner, recevoir, encourager, enseigner, indiquer le chemin...

Mes remerciements les plus sincères vont à mes éducateurs, formateurs, guides et maîtres; à ceux et celles que j'ai aidés car ils m'ont appris; à ceux et celles que j'ai consolés car il m'ont aidé à me consoler; à ceux et celles à qui j'ai enseigné car ils m'ont permis d'apprendre et à ceux et celles que j'ai aimés et qui m'ont aimée, car ensemble, nous avons découvert l'amour.

Un merci tout particulier va à tous ceux et celles qui m'ont assistée dans la réalisation de ce premier volume: Pauline Thériault, Richard Lamoureux, Claudine Vaillancourt, Joan Ross, Yvan Caron, Annie Laforest ainsi que Gilles Gaudreau.

INTRODUCTION

C'est avec une immense joie, empreinte de certaines appréhensions que je me vois confier l'honneur de vous présenter Claudia Rainville.

Claudia Rainville est fondamentalement une personne autodidacte, qui sait naviguer au milieu de la plus grande souffrance humaine que sont les maladies, les peurs, la culpabilité...

Elle a su, pour cela, bénéficier et intégrer dans sa vie les apprentissages de grands maîtres.

Par sa façon d'être, elle est le témoin de sa grande richesse intérieure, de cette Sagesse qui l'habite, qui lui a permis d'aller chercher au plus profond d'elle-même la cause de ses maladies, de ses "mal-être " et de les transformer au profit d'une grande sérénité, d'un Don de Soi.

Quel émerveillement de voir à côté d'elle et avec elle, des gens souffrant de maladies qualifiées d'incurables médicalement, augmenter leur capacité fonctionnelle en quelques heures et perdre leur douleur en même temps que s'effondre leur culpabilité.

La naïveté et la simplicité avec laquelle elle nous conte sa vie, qui sort de l'auréole d'intimité où notre culture nous a enfermé, conduit son auditoire à l'acceptation de ses failles, de ses échecs et permet ainsi la libération de toutes les colères, amertumes, ressentiments enfouis et l'amène aux confins d'une Re-NAISSANCE. Elle l'aide alors à trouver de nouveaux modes de pensées, à abandonner ses mécanismes de défense habituels et à établir de nouvelles règles de jeux dans sa vie.

Sa formation scientifique lui a laissé la rigueur, la méthode, l'analyse et le discernement que requièrent ses qualités de praticienne expérimentée en relation d'aide.

Elle nous révèle sa grande authenticité et nous dévoile toutes ses valeurs spirituelles de détachement, d'amour, de don de soi.

Je souhaite, comme elle et avec elle, que toutes les disciplines de la santé s'unissent dans un travail où chacun est reconnu et où chaque pièce ne peut totalement fonctionner sans l'éclairage de l'autre.

"La souffrance est un correctif qui met en lumière la leçon que nous n'aurions pas comprise par d'autres moyens et elle ne peut jamais être éliminée, tant que cette leçon n'a pas été apprise". (Dr Edward Bech).

Puissent médecin, homéopathe, acupuncteur, réflexologue, psychologue, psychothérapeute en métamédecine... se respecter et s'entraider au profit d'un mieux-être permanent, acquis par une plus grande CONSCIENCE individuelle et une reconnaissance des trois corps dont nous parle le Dr Jeannine Lafontaine.

Cependant, reconnaître les différences et les accepter, c'est aussi ACCEPTER DE PERDRE LE POUVOIR DU SAVOIR unique et sortir comme elle des sentiers battus.

Élizabeth Lagier, M. Ps.

AVANT-PROPOS

Depuis ma plus tendre enfance, j'ai cherché des réponses aux questions existentielles telles "Pourquoi suis-je née? Pourquoi y a-t-il des gens heureux qui vivent dans l'abondance alors que tant d'autres vivent dans la pauvreté et la souffrance? Qu'arrive-t-il après notre mort? Qu'est-ce que Dieu?"

Dans ma tête d'enfant, je ne pouvais accepter l'idée qu'un Dieu juste et bon puisse permettre l'injustice et la souffrance. C'est ainsi qu'à l'adolescence, j'ai remis en question l'enseignement religieux que j'avais reçu, tout en continuant la quête à mes réponses et à la vérité sur Dieu.

J'ai dû faire les frais de mes propres découvertes en passant par la maladie. J'ai connu la pneumonie, les amygdalites, les orgelets à répétition, les problèmes d'audition, des lombalgies (qui nécessitèrent deux années en physiothérapie), un cancer du col utérin, une obstruction nasale (qui me valut trois opérations chirurgicales), l'ablation de la vésicule biliaire, deux césariennes, une dépression chronique (si bien masquée...), et j'en passe.

Qu'ai-je découvert au bout de ce long périple de malaises et de maladies? **La réponse la plus fondamentale à ma vie, celle que j'avais tant cherchée: l'Être humain est à l'image de Dieu.**

J'avais pourtant répété tant de fois cette assertion au petit catéchisme, mais je ne l'avais jamais comprise. Dans mon éducation religieuse, j'avais plutôt compris que c'était Dieu qui était à l'image de l'Être humain. On me l'avait décrit comme un bon père qui punit ses enfants lorsqu'ils pèchent contre ses enseignements mais qui les récompense quand ils agissent bien. J'ai compris que j'étais l'infiniment petit et Lui, l'Infiniment Grand. Donc, en définitive, je n'étais rien comparée à Lui et je n'avais d'autre choix que de m'en remettre à Lui, en Lui demandant, par mes prières, d'exaucer mes désirs. Je me sentais donc démunie face à mes difficultés et face à la souffrance de ce monde. En plus, je lui en voulais de faire la sourde oreille à mes demandes pour moi-même et pour mes frères de la Terre.

Ce que je n'avais pas compris et ce qu'on ne m'avait jamais expliqué, c'est que c'était moi qui était à Son image. Donc en tant qu'Être humain, je possédais les mêmes pouvoirs de création, c'est-

9

à-dire la capacité de matérialiser mes pensées de manière constructive ou destructive.

Voici l'histoire de ma vie: j'ai créé mes maladies par besoin d'attention, j'ai détruit ma vie et mon bonheur par ignorance des culpabilités que je portais en moi, puis je me suis guérie et me suis créée une vie de joie, de bonheur et de réussite par l'Éveil de ma conscience et des possibilités qui étaient placées en moi. Socrate disait: "Connais-toi toi-même et tu connaîtras le monde." Aussi, suis-je partie à la découverte de moi-même et à la quête de mes réponses. Cette quête m'a conduite auprès de très grands maîtres. Au début, je ne pouvais comprendre leur langage, un peu comme si on voulait expliquer la géométrie à un enfant de première année. Mais lorsque l'enfant est en mesure d'apprendre la géométrie, il se souvient de ce qu'on lui en a dit lorsqu'il était en première année. Tout comme il faut laisser le temps au grain de blé pour qu'il atteigne sa pleine maturité afin qu'il soit en mesure de nourrir ceux qui ont faim, ainsi en fut-il pour moi. Il me fallut un premier guide capable de me tenir la main et de m'indiquer la route à suivre. Par la suite, j'eus d'autres instructeurs et même s'ils m'indiquaient la voie, c'était en moi que je devais trouver les réponses.

Voici la raison même de ce livre: **aider le lecteur à trouver ses propres réponses, faire sa propre auto-analyse des causes qui ont engendrées ses malaises, maladies et avancer sur la route de l'Éveil de sa conscience.**

Ce livre est le résultat de ma propre prise en charge, de ma victoire sur la maladie et la dépression. Il est aussi le fruit de plus de trois mille consultations individuelles et de groupe.

Il s'adresse autant au profane qu'à tout intervenant dans le domaine de la santé. Tous les cas présentés sont réels. Ils sont cependant quelque peu maquillés dans le but de respecter la confidentialité des personnes concernées.

Ce livre se veut donc un outil précieux pour identifier la cause qui a engendré l'effet manifesté sous forme de malaise, maladie, accident et autres. Il sera également un guide vers un plus grand éveil de conscience auquel l'humanité a emboîté le pas.

Je t'y accompagne avec tout mon amour.

Claudia Rainville

TABLE DES MATIÈRES

11

"LA PARFAITE SANTÉ ET LE PLEIN ÉVEIL SONT EN RÉALITÉ LA MÊME CHOSE."

(Tarthang Tulku)

PREMIÈRE PARTIE

L'ÊTRE HUMAIN À L'IMAGE DE DIEU

CHAPITRE I

DU MICROCOSME AU MACROCOSME
OU
DE L'INFINIMENT PETIT
À L'INFINIMENT GRAND

"La vie de l'être humain est inséparable de
celle du cosmos. Loin d'être une forme de vie
parmi toutes les autres, l'homme est à lui seul
un univers."

Paracelse

Enfants, on nous enseignait que l'Être humain était à l'image de Dieu. C'est ainsi qu'on en est venu à voir Dieu à l'Image d'un homme. C'était le père tout puissant créateur du ciel et de la terre. Hermès Trismégiste, un très grand sage de l'antiquité, apporte cette même vérité en affirmant que "Tout ce qui est en haut est comme ce qui est en bas". Je me suis longtemps interrogée sur le sens de cette phrase.

Il y a quelques années, je visitai l'observatoire du Témiscouata à St-Louis du Ha! Ha! Par une magnifique soirée sans nuage, je fus facinée d'observer à travers la lunette d'un puissant télescope toute une féérie d'étoiles et de planètes. L'employé me dit "Quand on regarde par cette fenêtre sur l'Univers on se sent bien minuscule". C'est étrange, moi qui était en microbiologie, je ne m'étais jamais demandée comment une bactérie se sentirait s'il elle pouvait me regarder. Le monde de l'infiniment petit est tout aussi impressionnant. À titre d'exemple, ce point • contient plus d'atomes qu'il y a d'êtres humains sur la terre. Ce qui est fascinant, c'est d'observer l'analogie entre l'infiniment grand et l'infiniment petit. L'univers est constitué de systèmes solaires dont chaque soleil est un centre autour duquel gravite des planètes tout comme l'atome possède un noyau autour duquel gravitent des électrons.

L'atome possède un noyau contenant des protons et des neutrons autour duquel gravitent des électrons.

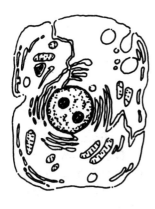

La cellule possède un noyau contenant des nucléoles autour duquel gravitent des inclusions cytoplasmique.

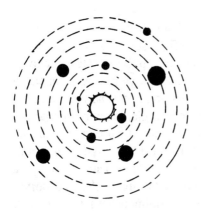

Le système solaire: le soleil est le centre d'un système solaire contenant des noyaux d'hydrogènes autour duquel gravitent des planètes.

Tous les matériaux qui composent les minéraux, les végétaux, les animaux et même notre corps sont le résultat des agglomérations d'atomes. S'il y a des milliards de substances différentes c'est parce que les atomes peuvent s'unir de façons diverses. C'est ainsi que nous pouvons énoncer qu'un ensemble d'atomes forme une molécule, qu'un ensemble de molécules forme une cellule, qu'un ensemble de cellules forme un tissu, qu'un ensemble de tissu forme un organe, qu'un ensemble d'organes forme un organisme, qu'il soit végétal, animal ou humain.

Nous pourrions continuer ainsi et affirmer qu'un ensemble d'organismes (minéral, végétal, animal et humain) forme notre planète terre et qu'un ensemble de planètes forme un système solaire et qu'un ensemble de systèmes solaires forme l'Univers.

Pendant longtemps, on a cru que l'atome était la plus petite particule de matière. Aujourd'hui, on reconnaît que l'atome n'est pas seulement une particule de matière, mais également un **centre de force**, un **foyer d'énergie**.

Edison disait : "Je ne crois pas que la matière soit inerte et soit mue par une force extérieure à elle-même. À mes yeux, chaque atome est doué d'une certaine quantité **d'intelligence primitive**". Sir William Crookes, un très grand savant, parla de la faculté que possède l'atome de choisir sa propre voie, de la sélectionner et de la rejeter. Il montra ensuite qu'on peut suivre la sélection naturelle à travers toutes les formes de la vie depuis l'atome, considéré comme une particule ultime, jusqu'aux formes les plus élevées de l'Être.

Les recherches scientifiques démontrèrent par la suite que les atomes, ces masses d'énergie du microcosme, possèdent en tant que centres de force (foyer d'énergie), une âme persistante et que chaque atome est doué de **sensation**, de **mouvement** et de **mémoire**. Si nous prenons les différentes qualités de l'atome: l'énergie, le mouvement, la mémoire, la sensation, la faculté de choisir, de sélectionner et de rejeter, nous obtiendrons quelque chose de très semblable à la psychologie de l'Être humain, sauf que ces phénomènes opèrent dans un rayon d'existence plus étroit et sont d'un degré plus restreints.

De plus, chaque atome est doué des symptômes de la pensée et d'une forme d'intelligence rudimentaire. Il peut sembler étrange d'appliquer à l'atome le mot "intelligence", pourtant, l'origine latine

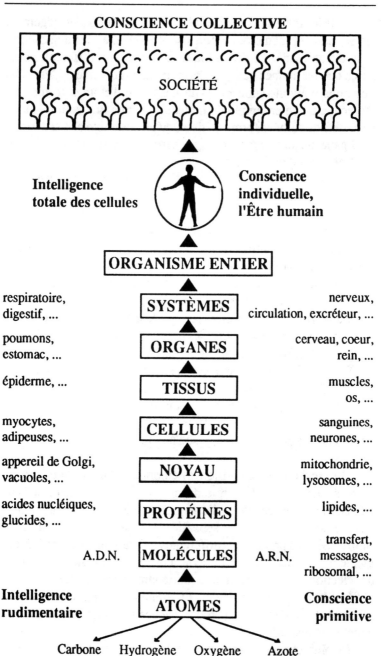

CONSCIENCE COLLECTIVE

SOCIÉTÉ

Intelligence
totale des cellules

Conscience
individuelle,
l'Être humain

ORGANISME ENTIER

respiratoire,
digestif, ...

SYSTÈMES

nerveux,
circulation, excréteur, ...

poumons,
estomac, ...

ORGANES

cerveau, coeur,
rein, ...

épiderme, ...

TISSUS

muscles,
os, ...

myocytes,
adipeuses, ...

CELLULES

sanguines,
neurones, ...

appereil de Golgi,
vacuoles, ...

NOYAU

mitochondrie,
lysosomes, ...

acides nucléiques,
glucides, ...

PROTÉINES

lipides, ...

A.D.N.

MOLÉCULES

A.R.N.

transfert,
messages,
ribosomal, ...

Intelligence
rudimentaire

ATOMES

Conscience
primitive

Carbone   Hydrogène   Oxygène   Azote

du mot "inter" signifie "entre" et "legere" signifie "choisir". L'intelligence est donc la faculté de penser, de choisir, de sélectionner. En apprenant à connaître l'immensément petit, l'Être humain y découvre des facultés déjà embryonnaires d'un organisme vivant. Aux deux extrémités, du microcosme au macrocosme, on comprend le jeu des forces, les champs d'énergie électromagnétiques qui assurent la cohésion entre les éléments. On a mis en valeur ces forces vives de l'atome, ces énergies nucléaires et subatomiques comme on tente d'exploiter les énergies solaires et stellaires.

En biologie, nous observons également les notions de corpuscules, de centres, de noyaux et de périphéries. La cellule possède un noyau que l'on peut subdiviser en nucléoles, chromatine, etc. Tout autour, des mitochondries, du réticulum endoplasmique, des appareils de Golgi..., une membrane périphérique vient circonscrire l'entité. Ici encore, rien d'hermétique, de fermé, car il y a toujours interrelation entre les forces de vie de l'intérieur et celles de l'extérieur. Vers le "bas", nous découvrons les nucléotides, les gènes, les chromosomes, les macro-molécules d'ADN, les molécules chimiques de carbone, d'hydrogène, d'oxygène, d'azote et par la suite l'atome physique. Vers le "haut", la cellule vit en synergie avec ses pairs pour devenir tissus, organes, systèmes fonctionnels et finalement micro-organismes, végétaux, animaux, Êtres humains.

Si nous comprenons que l'atome est une entité vivante de même qu'un petit univers vibrant où s'expriment des protons, des neutrons, des électrons, le concept s'élargit à la cellule puis, par la suite, à l'Être humain; une entité vivante et à la fois un biocosme vibrant où s'associent des milliards de cellules.

Nous pourrions également considérer la planète Terre comme un atome tenant dans sa sphère d'influence toutes les formes de vie. Cette pensée peut être poussée plus loin encore jusqu'à inclure l'atome du système solaire. Là, au coeur du système solaire, il y a le soleil, centre positif d'énergie, tenant les planètes dans sa sphère d'influence.

L'atome a donc une intelligence rudimentaire alors que l'Être humain est l'intelligence totale de tous ses atomes ou de toutes ces intelligences rudimentaires réunis.

En procédant par analogie, rien ne nous empêche de croire que la sphère planétaire et même l'Univers soient l'ensemble de toutes les intelligences totales réunies. Cela peut nous amener à penser que notre intelligence est aussi éloignée de l'intelligence globale cosmique que l'intelligence de l'atome l'est de l'intelligence humaine.

Ceci nous conduit au point de vue du monde religieux, à savoir l'existence de Dieu. Ce que le monde religieux appelle "Dieu", l'homme de science lui donne le nom d'énergie et les deux parlent le même langage. Nous pouvons dès lors comprendre ce que signifiait **DIEU EST TOUT**.

C'est ainsi que nous pouvons avoir une idée juste de l'infiniment grand et de l'infiniment petit ou encore la pensée d'Hermès Trismégiste: "Tout ce qui est en haut est comme ce qui est en bas" ou "L'Être humain est à l'image de Dieu."

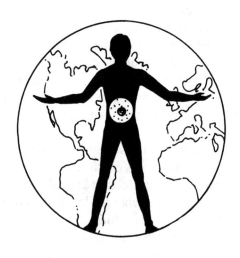

CHAPITRE II

TOUT EST ÉNERGIE

Lorsque j'étais étudiante en microbiologie, j'interrogeais mes professeurs afin de savoir d'où provenaient les microbes (bactéries, virus, parasites, etc.). Ils me répondaient que ces agents pathogènes provenaient de contaminations. J'acquiesçais tout en continuant de me demander où la première personne avait pu contracter le microbe. Puis, je me suis satisfaite de toutes ces connaissances que j'explorais dans ce monde fascinant du microorganisme, mais mes questions demeuraient. J'entrai par la suite sur le marché du travail en milieu hospitalier. J'interrogeai cette fois les microbiologistes et leurs réponses ne me donnèrent pas plus satisfaction que celles des professeurs. Intuitivement, je savais que l'Être humain avait la capacité de créer par lui-même la vibration correspondante à l'agent infectant, ou encore qu'il attirait à lui, toujours par un phénomène de résonance, l'agent infectant correspondant à la vibration qu'il émettait par ses pensées. Lorsque je me hasardais à proposer cette hypothèse, j'attirais la risée. Alors je me tus et j'observai. Je me souviens particulièrement d'un homme âgé, atteint de tuberculose qui ne sortait pratiquement jamais de chez lui et les rares visiteurs qu'il recevait n'étaient pas porteurs du bacille de Koch (agent pathogène tenu responsable de la tuberculose). Où avait-il contracté cette infection? Et moi-même, mes nombreuses amygdalites, d'où venaient donc l'agent contaminant? Personne autour de moi n'avait d'infection. Et le cancer, comment l'expliquer? Certains ont avancé que tous les Êtres humains avaient le cancer à l'état latent. Que faut-il en penser?

Un jour, j'assistai à une conférence du maître Swami Satchidananda. Il prit un foulard et demanda au groupe ce qu'il voyait. "Un foulard" répondit le groupe. Puis, il défit les fils reliés ensemble. Il avait maintenant un amoncellement de fils devant lui et demanda à nouveau au groupe ce qu'il voyait. "Des fils" répondit le groupe. Le maître demanda: "Mais où est passé le foulard? Et, si je mets le feu à cet amoncellement de fils, où seront les fils?"

Cela me fit comprendre que les états et les formes ne sont que des apparences transitoires. Plus tard, je découvris les résonances. À partir de là, j'ai compris de grandes vérités fondamentales sur Dieu, la maladie et la vie. Qu'est-ce que Dieu? Au petit catéchisme, j'avais appris que Dieu est l'Infiniment Grand, qu'il est omniprésent, omnipotent et omniscient, qu'il est le Tout, le Plus-que-Tout. J'avais des mots, des mots justes, mais aucune compréhension. Qu'ai-je compris sur Dieu en partant du foulard? Prenons de l'eau. Qu'est-ce que l'eau? L'eau est la réunion d'atomes d'hydrogène et d'oxygène. En chimie, on parlera de molécules d'H_2O. L'eau peut se présenter sous **différents états**:

- solide: glace;
- liquide: eau;
- gazeux: vapeur.

Ces états peuvent se rencontrer sous **différentes formes**:

- solide: glaçon, cristaux de neige, glacier, etc.;
- liquide: pluie, eau des rivières, rosée du matin, etc.;
- gazeux: vapeur, brouillard, etc.

Mais quel que soit l'état ou la forme de l'eau, il s'agit toujours des mêmes atomes d'hydrogène et d'oxygène. Qu'est-ce qui lui donne une forme ou un état particulier? C'est **l'action de la résonance thermique sur ses atomes**. La résonance est un phénomène observable à différentes échelles lorsque des systèmes possédant des similitudes vibratoires entrent en relation. Il se produit alors un mouvement vibratoire amplifié créant un effet observable. Par exemple, lorsque l'eau et la chaleur entrent en relation, le phénomène observable est l'ébullition de l'eau. Plus la résonance est forte et plus grande sera la manifestation. **La vie est une énergie vibratoire** qui se manifeste dans un espace-temps dimensionnel.

Dans l'Univers, tout est en mouvement et en interaction.

Tout est relatif.

Il semble n'y avoir qu'une seule constante:

la propagation de la lumière.

Il a été dit: "Au commencement était le Verbe et le Verbe était la lumière." Le Verbe ici symbolise le son ou la vibration qui est lumière. Il est connu aujourd'hui qu'on peut créer des formes par les sons. Beaucoup de gens ayant approché la mort ont parlé d'une lumière qui les aspirait. En fait, nous sommes issus de la lumière et retournerons à la lumière. Regardons dans le ciel la lumière émise par un avion, on pourrait facilement confondre cette lumière avec celle d'une étoile (un centre avec cinq branches). L'étoile est lumière, tout comme le soleil est une étoile.

L'Être humain, comme l'étoile, est un centre d'énergie formé de cinq ramifications: la tête et les membres. Le professeur Eccles d'Australie nous apporte encore plus de détails lorsqu'il avance que grâce à nos pensées, nos sentiments, nos souvenirs, notre champ de conscience, nos caractéristiques et nos connaissances, nous sommes un petit centre d'énergie, un miniscule point de lumière semblable à une minuscule étoile brillante car nous irradions des **vibrations** du milieu de notre front. Ces vibrations ont même pu être mesurées en Union Soviétique et dans d'autres pays. Cela signifie que nos propres **radiations** peuvent être évaluées.

Peut-être vous êtes vous comme moi déjà demandé pourquoi certaines personnes qui ne nous ont jamais fait aucun mal nous sont parfois tellement antipathiques alors qu'au contraire, nous nous sentons tellement attirés par d'autres. Ce processus trouve son explication dans le phénomène vibratoire. Nos pensées émettent des vibrations qui nous entourent. Nous pourrons ainsi parler de corps énergétique, de l'aura ou de champs magnétiques. Ces pensées imprègnent même l'air environnant. Il est maintenant plus facile de comprendre le phénomène des odeurs et de l'haleine. Plus une personne aura de belles pensées d'amour et d'enthousiasme, plus nous serons attirés vers elles, si nous-mêmes vibrons positivement. Nous nous sentirons repoussés par la personne qui émet des pensées négatives, de haine, de défaitisme ou d'amertume. Cependant, si j'ai l'âme du sauveteur, il est possible que j'attire des victimes qui se nourriront de mes énergies positives, jusqu'à ce que vidé, je décide de m'en séparer. Mais en général, les personnes vibrant à la même énergie se retrouvent dans un même contexte d'où l'expression "Qui se ressemble s'assemble" ou la parole de Jésus "Dis-moi qui tu fréquentes et je te dirai qui tu es".

Aussi, comme nos vibrations sont véhiculées par l'intermédiaire de l'éther, de l'air, de l'eau, elles imprègnent également tout ce qui entre en relation avec nous que ce soit nos vêtements, notre automobile, notre maison, etc... C'est ce qui explique que nous puissions nous sentir bien dans le vêtement d'une personne et très mal dans celui d'une autre. Il en va de même pour un lieu de résidence ou de travail.

Je pourrais aller plus loin et dire que les pensées que nous avons envers la matière qui nous entoure déterminera la beauté ou la détérioration de cette matière. Une personne qui aime et prend soin de ses choses les gardera dans un meilleur état que la personne qui n'en prend aucun soin, cela est vrai pour nos vêtements, nos plantes, objets, meubles, maison, ou autres biens matériels. La personne qui déteste sa voiture et en dit du mal aura toujours des problèmes avec cette dernière alors que la personne qui aime sa voiture et l'apprécie pourra rouler longtemps avec cette dernière sans problème. Il en va de même des pensées que nous entretenons envers les personnes qui nous entourent. Ces dernières agiront envers nous selon les pensées que nous leur accordons. Ce mode vibratoire peut également nous faire comprendre le phénomène de la télépathie.

A quelqu'échelle que nous nous placions dans l'Univers, nombre de phénomènes font appel à des analogies vibratoires et s'expliquent par des processus de résonance. Les phénomènes de résonance entre les corps vibratoires sont responsables des communications subtiles qui s'établissent entre les "ondes" des Êtres et celles de la nature. De la matière à l'éther, tout comporte une vibration, une longueur d'onde. Si je désire regarder telle ou telle émission de télévision, je dois me syntoniser sur sa fréquence vibratoire au moyen d'une antenne qui peut recevoir cette gamme d'ondes électromagnétiques. J'entre donc en relation (en résonance) avec sa fréquence porteuse et je peux capter les ondes de l'émission que je désire. Il y aura donc communication s'il y a correspondance ou relation entre un système et un autre. Pour qu'il y ait manifestation, il doit exister des conditions de similitude, lesquelles permettent aux deux systèmes en résonance de produire cet accord.

Dans notre organisme, le matériel de résonance est notre cerveau (équivalent du téléviseur et de ses antennes). Il est composé de cellules dont les récepteurs vibratoires sont les métaux contenus dans nos cellules. Étienne Guillé a souligné la relation

existant entre les métaux contenus dans l'ADN (acide désoxyribo-
nucléique) et les métaux présentés dans la tradition tibétaine. Dans
la tradition, les métaux ont des correspondances symboliques avec
les planètes: l'or correspond au Soleil; l'argent, à la Lune; le
mercure, à Mercure; le fer, à Mars; le cuivre, à Vénus; l'étain, à
Jupiter; le plomb, à Saturne; le zinc, à Uranus; le manganèse, à
Neptune et le cobalt, à Pluton. Chaque planète possède un champ
vibratoire spécifique qui entre en résonance avec le métal correspondant dans nos cellules. Chaque planète a donc la possibilité
d'agir sur l'état vibratoire de notre corps. Ce qui explique notre
sensibilité (influençabilité) aux aspects astrologiques. Cette vision
du monde nous place dans une position opposée au monde matéria-
liste qui implique que la matière est inerte.

Les phénomènes de résonance jouent un rôle d'importance
dans notre monde comme dans l'Univers, car tout est vibration
d'énergie et tout est en interaction.

D'où proviennent les bactéries, virus et autres agents pathogènes? D'un phénomène de résonance. Pour observer une
émission de télévision, il me faut entrer en relation avec sa fréquence
vibratoire en me syntonisant sur le canal correspondant. De même,
dès que j'entre en résonance avec la fréquence vibratoire d'un agent
infectieux, il se manifeste dans mon monde par l'intermédiaire de
mon corps physique et je suis en mesure d'en observer la présence.
Je peux soit le regarder au microscope ou le cultiver pour une étude
ultérieure. Quelle est cette fréquence? C'est la fréquence des
basses énergies vibratoires qui appartiennent à la colère, le chagrin,
la rancune, la haine, etc.

De récentes recherches sur l'immunité en rapport avec les
relations de couple ont démontré que les couples heureux étaient
rarement malades ou sujets à des infections comparativement à
ceux qui vivent dans des climats de colère et de tension. Ces
recherches démontraient de façon sans équivoque que la population la plus atteinte par la maladie et les infections était formée des
couples en voie de séparation ou encore de ceux ayant vécu
récemment une séparation.

On peut donc voir la relation existant entre l'immunité et
l'énergie vibratoire. Plus nous sommes heureux et en harmonie,
plus nos vibrations sont puissantes. Nous sommes donc syntonisés

sur une longueur d'onde supérieure à la vibration de l'agent infectant, ce qui peut expliquer une meilleure immunité, une excellente santé. Cela peut nous faire comprendre pourquoi des Êtres exprimant un haut niveau d'amour peuvent travailler avec des êtres atteints d'affections graves, comme la lèpre (pensons au Cardinal Léger), sans jamais être eux-mêmes contaminés. De plus, lorsque nos vibrations sont puissantes, nous pouvons aider les autres à hausser leurs vibrations, seulement par notre présence ou nos pensées.

Ceci peut sembler très complexe aux yeux des matérialistes, mais rappelons-nous l'histoire du foulard: où était-il passé? "Rien ne se perd, rien ne se crée." Tout n'est que simple transformation, c'est-à-dire le passage de l'état invisible à l'état visible.

En résumé:

Tout est énergie;

Dieu est tout;

Dieu est donc l'énergie manifestée sous des états

et des formes différents auxquels correspondent

des modes vibratoires différents.

Tout ce qui existe dans le monde visible ou invisible (à nos yeux physiques) n'est que de l'énergie. Si cette énergie vibre en harmonie, il y a beauté, santé, bien-être. Mais lorsque la dysharmonie apparaît, le déséquilibre s'installe, entraînant maladie, mal-être, laideur, saleté. Qu'est-ce que la saleté? Tout simplement le fait que des choses ne sont pas à leur place (reflet de la dysharmonie).

Prenons, par exemple, un orchestre. Si chaque élément qui compose l'orchestre joue sa partition selon son entendement et sans se soucier du reste du groupe, c'est la cacophonie. Si au contraire, chaque instrument joue sa partition en essayant de jouer comme celle du voisin, cela produit des dissonnances majeures. Mais lorsque chacun joue sa partition en fonction des instructions émises par le chef d'orchestre, c'est avec joie que l'harmonie se fait entendre. Jésus Christ fut incontestablement un très grand chef d'orchestre. Mais au fils du temps, l'oeuvre du Maître fut transmise à son image mais très peu à sa ressemblance, chacun personnalisant les accords communiqués.

Le même phénomène peut se transposer dans notre vie. Lorsque nous nous centrons sur l'amour, le partage et que nous vivons en harmonie avec les organismes qui nous entourent soit les minéraux, les végétaux, les animaux et les humains, notre propre organisme (notre corps) nous le reflète par l'état harmonieux de nos cellules, tissus, organes et c'est ainsi que nous sommes sains de corps et d'esprit. Mais lorsque nous voulons être ce que nous croyons que les autres attendent de nous, que nous agissons pour leur plaire, et ce, sans penser à nous, celà nous amène bien des dissonnances qui se traduisent par un sentiment de "mal-être". Nous ne pouvons pas "bien-être" puisque nous ne sommes pas nous-mêmes.

Parfois ces attentes de vouloir être ou que les autres soient ce que nous souhaitons nous amènent à vivre de la culpabilité, de la colère, de la rancune, de la haine, qui nous amènent ensuite à nous couper de notre entourage. Cette fois, l'harmonie étant rompue, la dysharmonie s'installe et c'est ce que nous reflète notre corps par des cellules qui ne coopèrent plus entre elles. Les cellules se réchauffent, s'excitent, s'entrechoquent, se rebellent, se durcissent, tout comme nous nous fâchons, nous nous rebellons, nous nous endurcissions envers nos semblables, entraînant ainsi stress, maladie, infections, sclérose, cancer, etc... On peut penser à ce qui arriverait si les cellules du cerveau (les neurones) décidaient qu'étant à la tête, elles n'avaient pas besoin des cellules du coeur ou de celles des poumons? Comment ne pas comprendre que la Terre est un organisme vivant tout comme notre corps. Les Êtres humains sont comme les neurones. Les pluies, les rivières et les mers sont un flux sanguin nourricier autant pour les règnes minéral, végétal, animal qu'humain.

La dysharmonie se manifeste également à l'échelle mondiale. L'analogie cancéreuse se propage à la planète lorsque les Êtres humains, par leurs désirs égoïstes, par soif de pouvoir, de passion et d'orgueil, créent les conditions vibratoires d'anarchie, de déséqui- libre, de dysharmonie qui se manifestent dans la guerre, l'impérialisme, l'épidémie, la famine, la pollution, la destruction graduelle de son monde. On a qu'à penser aux pluies acides qui détruisent nos forêts ou à la gestion unilatérale des mers et de leurs ressources. Nous avons entrevu la nécessité de la coopération internationale mais nous commençons seulement à accepter globalement notre interdépendance physique et spirituelle. Nous sommes sur le point de comprendre, à tous les plans, que nous ne pouvons pas vivre comme des individus égoïstes et faire notre vie en marge du groupe symbiotique où nous avons notre place. Nous commençons à réaliser que si nos frères souffrent ou sont retardés dans leur progrès, tout le genre humain en est, par conséquent, très tôt affecté, et ce , à des degrés divers. Pourtant, peu d'humains agissent comme s'ils appartenaient au tout. Il est plus que temps que le genre humain éveille sa conscience et choisisse de **participer à l'harmonie de l'Univers.**

Il y a quelques années des savants ont réussi à briser artificiellement les atomes de certains éléments pour les faire libérer de l'énergie. Ce fut la naissance de la fission atomique. Puis, de la réaction en chaîne de cette fission, est née la bombe atomique.

Dans la fission, c'est le noyau qui est brisé aussi appelle-t-on cette énergie, l'énergie nucléaire.

L'énergie de fission (séparation) est toujours très dangereuse mais elle peut être contrôlée, pour être utilisée en électricité par les centrales nucléaires. Mais lorsqu'on en perd le contrôle, c'est la destruction de tout l'environnement. On a qu'à penser à la centrale de Tchernobil en Russie.

L'énergie de la colère, de la rancune ou de la haine est une énergie de fission qui produit à l'intérieur de notre organisme autant de ravages que cette énergie non-contrôlée. Et parfois nous laissons exploser à l'intérieur de nous-mêmes des "bombes atomiques" (on le verra avec les maladies d'autodestruction).

Il y a un autre type d'énergie qui est l'énergie de fusion. C'est ce phénomène de fusion des noyaux d'hydrogène qui se produit continuellement dans le soleil donnant naissance à la lumière et à la chaleur indispensables à la vie sur notre planète.

Cette fusion, c'est l'équivalent de l'amour des liens qui unissent et qui rapprochent les êtres. Cette force est d'une telle puissance qu'on peut se brûler à son feu. Non pour être détruit mais pour être transformé, tout comme l'alchimiste peut transformer un vulgaire métal en or pur. Ainsi plus nous émanons cette énergie, plus nous sommes radieux et rayonnons autour de nous, la joie, le bonheur et la paix. On parle de l'importance du désarmement nucléaire comme étant essentiel à la survie de notre planète. Peut-être ce désarmement se fera-t-il lorsqu'une majorité d'êtres humains déposeront les armes de leur haine, de leur rancune, de leur vengence, de leur colère et de leur racisme...

Au temps de Galilée, les gens croyaient que la Terre était le centre de l'Univers. Pourtant, ce dernier était convaincu que la Terre tournait autour du Soleil et fut menacé d'excommunion et sommé de se rétracter par l'Église du temps. Aujourd'hui, même un enfant de sept ans sait que la Terre n'est pas le centre de l'Univers et qu'elle tourne autour du Soleil. Dans la nouvelle ère du Verseau dans laquelle entre l'humanité actuelle, le niveau de conscience et de compréhension s'amplifie. L'Être humain prend de plus en plus conscience de sa véritable nature et de son potentiel créateur (capacité de matérialiser ses pensées).

En rapport avec la vitesse de la lumière des physiciens, il est caractéristique de constater le progrès réalisé dans les ressources thérapeutiques modernes. On commence à réaliser de plus en plus que l'Être humain est un hologramme et qu'il n'est pas constitué seulement de matière, mais également d'énergie. Plus tard, on acceptera que l'Être humain est la manifestation de l'Énergie qui est lumière, qui toujours fut et qui toujours sera.

CHAPITRE III

LE CERVEAU HUMAIN

On compare souvent le cerveau humain à un puissant ordinateur. Il serait plus juste de comparer l'ordinateur à un pâle reflet de ce qu'est le cerveau humain. Nous ne devons pas oublier que ce sont des cerveaux humains qui ont permis l'apparition des ordinateurs. Nous nous servirons cependant de cette analogie afin de mieux comprendre le fonctionnement du cerveau humain.

Il est très à la mode de parler de la puissance de notre subconscient, surtout depuis l'apparition sur le marché des livres du Dr Joseph Murphy. Mais comment opère ce subconscient chez l'Être humain? Malheureusement, on ne nous en a donné que les grandes lignes. Prenons un exemple, si on donne un puissant ordinateur à un enfant et qu'on ne lui enseigne que la façon d'entrer des données, l'utilisation que l'enfant pourra en faire sera alors très limitée. Comment peut-on le déprogrammer pour être en mesure d'entrer de nouvelles données? L'enfant l'ignore. Il en est de même pour l'Être humain. Il l'ignore parce qu'il ne comprend pas la complexité du fonctionnement de son ordinateur, en l'occurrence son cerveau.

Nous avons ce que l'on peut appeler trois cerveaux:

- le *néo-cortex*, ou matière grise, **intègre les données d'ordre intellectuel**;

- le *cerveau limbique,* ou mémoire émotionnelle, **intègre les données d'ordre émotif**;

- et *l'hypothalamus*, ou cerveau reptilien, **intègre les données d'ordre physiologique**.

LE NÉO-CORTEX OU MATIÈRE GRISE

Dernier-né au cours de l'évolution, il occupe 85% du volume du cerveau et se compose de plus de dix milliards de neurones (ou cellules nerveuses). En fait, chaque neurone possède en lui-même les capacités d'un véritable ordinateur qui reçoit des informations, les traite, les emmagasine, les communique à d'autres neurones et envoie des ordres adaptés. C'est grâce à ses étonnantes possibilités que je peux garder en mémoire les milliers d'informations dont j'ai besoin un jour ou l'autre tel le nom des personnes que je rencontre ou simplement leur visage, les adresses, les numéros de téléphone, la date d'aujourd'hui, mon emploi du temps, la saveur des aliments, le son produit par la pluie, le vent, etc. **Sa mémoire est fonctionnelle.** En somme, deux fonctions importantes sont dévolues au néo-cortex: d'une part, la **mémorisation des faits** et, d'autre part, la **réflexion** et le **raisonnement.**

Le néo-cortex est réparti en deux hémisphères: le gauche et le droit.

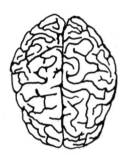

Chez l'Être humain, les deux hémisphères ont acquis des fonctions différentes et complémentaires, ce qui multiplie les possibilités d'agir.

Hémisphère gauche	Hémisphère droit
L'hémisphère gauche ou côté rationnel est spécialisé dans les fonctions de lire, parler, compter, réfléchir, analyser les détails, établir des relations de cause à effet. Il est relié à ma pensée logique. Il correspond à mon côté émetteur, masculin ou yang.	L'hémisphère droit ou côté non-rationnel permet de reconnaître globalement une situation dans son ensemble et lui attribuer une coloration émotionnelle et sensorielle (ce que je ressens). Il est relié à mon intuition et mon imagination. Il contrôle le côté gauche de mon corps. Il correspond à mon côté réceptif, féminin ou yin.

Les deux hémisphères sont complémentaires, ils sont réunis par le corps calleux qui permet à chacun de communiquer à l'autre son information. Par exemple, si je rencontre un vieil ami, c'est

34

mon hémisphère droit qui me permettra de reconnaître sa voix et de déterminer s'il est plutôt calme ou nerveux. Mais c'est grâce à mon hémisphère gauche que je peux converser avec lui. Il semble que ce soit l'inverse pour les gauchers.

LE CERVEAU LIMBIQUE OU MÉMOIRE ÉMOTIONNELLE (LA PLAQUE TOURNANTE DU CERVEAU)

Cette zone cérébrale assure la transition entre le néo-cortex et l'hypothalamus. Elle a deux fonctions capitales: la **sélection** et la **mémorisation des émotions**. A partir des besoins de l'organisme, le cerveau limbique sélectionne dans l'environnement ce qui est apte à le satisfaire. Il attribue, en fonction d'une expérience, une émotion aux faits et **c'est cette émotion qui conditionne la mémorisation**. Un fait présente un intérêt, il est mémorisé ou non selon qu'une émotion plus ou moins forte lui ait été assignée. Prenons le petit bébé qui naît; sa première source de plaisir (émotion de joie), correspond au moment où il reçoit sa nourriture, soit le sein de maman ou le biberon dans les bras de maman. Dans sa mémoire émotionnelle l'équation "avoir quelque chose dans sa bouche égale une sensation agréable qui est l'amour, la chaleur, la sécurité de maman". Aussi en fonction de cette équation enregistrée dans sa mémoire émotionnelle, il sélectionnera dans son monde en portant à sa bouche tout objet avec lequel il entre en relation, à savoir: ceci est agréable et cela n'est pas agréable; et reviendra vers ceux qu'il a sélectionnés agréables, soit son pouce, sa sucette, son biberon, ou son petit animal.

Plus tard, toujours en fonction de ce souvenir, il remplacera la sucette par la cigarette ou la bouteille de bière ou autre palliatif. On n'a qu'à observer les gens qui fument, ils auront tendance à fumer davantage lorsqu'ils seront nerveux (manque de sécurité), tristes (manque d'amour), ou encore s'ils s'ennuient (manque de chaleur). Inconsciemment, le fait d'avoir quelque chose à la bouche les ramène, par leur mémoire émotionnelle, à cet état agréable où ils avaient la sécurité, l'amour et la chaleur de leur mère. Ce qui explique que lorsque les fumeurs cessent de fumer, ils ont tendance à engraisser car ils remplacent leur besoin, (à recevoir quelque chose à la bouche), par des bonbons ou autre nourriture de consommation rapide et agréable. On voit chez les ex-alcooliques que ce besoin d'avoir quelque chose à la bouche est remplacé par l'augmentation de la consommation de cigarettes et café.

Le cerveau limbique intervient à tous les stades du traitement de l'information. *Au départ*, il détecte dans l'environnement l'information jugée intéressante et y prête attention. Au *moment d'agir*, il donne la motivation, cette énergie facilite plus ou moins l'action. Quand il s'agit d'évaluer le résultat de l'action, il *dirige* la mémorisation des résultats vers la mémoire à long terme sous forme de *réussite* ou *d'échec*. **Cette expérience est à renouveler ou à éviter la prochaine fois.** Le système limbique est une plaque tournante dans le fonctionnement du cerveau. C'est un carrefour quasi obligatoire entre le monde extérieur, l'hypothalamus, le néocortex et les organes moteurs. Sans lui, ni l'esprit critique (sélection) ni le goût d'agir (motivation) ne sont possibles. **Néanmoins, il est totalement tributaire de l'interprétation de l'événement fait par le néo-cortex.**

Prenons l'exemple de Jean-Louis qui est atteint d'un cancer du foie. Pendant la thérapie, nous retrouvons qu'avant le développement de la maladie, il a vécu une profonde déception affective (sa fiancée l'a quitté). Cet événement est en **résonance** avec d'autres déceptions qu'il a vécues par le passé (emmagasinées dans sa mémoire émotionnelle). Dans sa souffrance et son désarroi, il souhaite de toutes ses forces mourir (motivation du cerveau limbique ou émotionnel). Il dit même, en pleurant, à voix haute: "Je veux mourir." Quelques mois après, il perçoit les premières manifestations de la maladie qui le conduira vers la mort s'il n'en change pas la commande. Si lors d'une séance d'imagerie mentale on lui suggère de se voir en santé, en pleine forme, le sélecteur, qui est le cerveau limbique, rejettera cette nouvelle donnée, car quelque part, il a dans ses archives "Je veux mourir.", donnée enregistrée émotivement.

1. **L'événement:** sa fiancée le quitte. L'information est entrée par le cerveau limbique.

2. **L'interprétation:** l'information est acheminée vers le néocortex.

3. Cette interprétation est **confrontée** par les cerveaux gauche et droit par l'intermédiaire du corps calleux: personne ne m'aime (hémisphère droit), pourtant, je fais tout pour leur plaire

(hémisphère gauche).

4. **Retour** vers le cerveau limbique; cette émotion amène la motivation du désir de mourir dans sa mémoire émotionnelle.

5. **Filtration par le cerveau limbique.** Dans le cas présent, il y a résonance car dans ses archives, il y a déjà d'autres rejets et abandons qui sont enregistrés.

6. **Le cerveau limbique motive l'hypothalamus.** Il y a action. Jean-Louis vit un profond découragement, se laisse aller, se referme sur lui-même.

7. **Exécution de la demande par l'hypothalamus.** Il y a manifestation. Ce découragement profond entraîne le développement d'un cancer du foie.

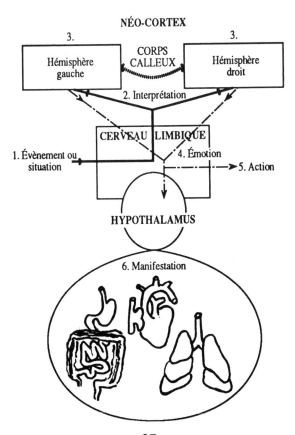

Il est très important de comprendre ce phénomène de résonance car cela aura des conséquences dans notre vie, en particulier sur notre état de santé et notre bien-être. Cette mémoire contient la réponse à plusieurs causes de malaises et maladies.

Prenons Louisette. À l'âge de 2 ans elle vit la séparation de ses parents. Avant la séparation, son père et sa mère ont souvent des disputes où l'enfant y est mêlé. Le père reproche à la mère d'être trop permissive avec l'enfant et la mère reproche au père d'être trop autoritaire. Puis survient la séparation. Louisette croit que c'est à cause d'elle si ses parents se séparent et elle développe une crise d'urticaire. Dans sa mémoire émotionnelle, cet événement est enregistré. Louisette grandit et vit dans la peur de déplaire aux autres (agissement en rapport avec ce qu'elle a en archive dans sa mémoire émotionnelle). À l'âge de 22 ans, elle se marie; trois ans plus tard, malgré tous les efforts qu'elle fit pour plaire à son conjoint, ce dernier lui reproche d'être trop soumise, de manquer d'initiative et lui annonce qu'il aime une autre femme.

C'est la séparation. Elle développe une violente crise d'urticaire qui nécessite l'hospitalisation. Dans sa mémoire émotionnelle l'équation "Je suis responsable du départ de mon conjoint est en résonnance avec l'émotion déjà en archive" "Je suis responsable du départ de mon père" ce qui explique l'amplification de la réaction (la crise d'urticaire aussi violente). Si on ne s'attarde qu'à éliminer l'effet, on peut imaginer les effets que produiront une prochaine émotion similaire.

C'est en changeant l'interprétation du premier événement qu'on peut faire cesser la résonance et qu'on arrête ainsi le processus de manifestation non désiré. Aussi devient-il essentiel de remonter à la cause, à l'événement qui a engendré la manifestation et de retrouver l'événement en résonance (s'il y a lieu). C'est la thérapie que j'utilise depuis des années et elle donne des résultats impressionnants.

Jeannette est devenue obèse à l'âge de 35 ans, même si elle avait toujours été mince auparavant. Que s'est-il passé? Jeannette se marie à l'âge de 22 ans avec Jean. Ce dernier la quitte pour une autre femme lorsqu'elle a 28 ans. A 30 ans, elle refait sa vie avec Marc qui a aussi des aventures extra-conjugales. Nouvelle séparation. Jeannette décide de ne plus avoir de relations affectives. Quelque part, dans ses mémoires, elle a enregistré que "les hommes n'aiment pas les grosses" car, effectivement, ses deux précédents maris n'aimaient pas les femmes obèses (mémoire du néo-cortex). Donc, par protection, elle se laisse grossir pour éloigner une nouvelle relation affective (action motivée par son cerveau limbique). Je lui avais suggéré d'utiliser le pouvoir de son subconscient (hypothalamus) en lui proposant de coller dans le miroir de sa chambre des photos où elle était mince. Contrairement à ce qu'on apprend sur l'imagerie mentale, ces deux photos ont eu pour effet de la faire grossir davantage. Pourquoi? Les deux photos qu'elle avait utilisées étaient deux photos où elle était en présence, sur la première, de son premier mari, et sur la deuxième, de son second mari. Elle avait cependant pris soin de découper ces messieurs. Mais que se passait-il lorsqu'elle regardait les photos? Son cerveau limbique (mémoire émotionnelle) avait dans ses archives la photo complète qui égalait: tromperie - rejet - séparation. Il commandait donc à l'hypothalamus davantage de poids pour une plus grande protection.

Une personne souffrait d'une allergie grave aux produits laitiers. On avait diagnostiqué une carence de l'enzyme responsable de la digestion du lactose. Ce qui est intéressant d'observer, c'est que cette allergie a débuté vers l'âge de 12 ans. C'est justement à cet âge qu'elle fut abusée sexuellement par le marchand de produits laitiers du village où elle habitait. Dans sa mémoire émotionnelle, l'équation "Produit laitier égalait abus de cet homme" à qui elle vouait 30 ans plus tard, une haine tenace.

La mémoire émotionnelle n'est pas à l'origine seulement de plusieurs causes, de malaises et maladies: elle renferme aussi la réponse aux questions: "Pourquoi attirons-nous toujours le même genre de personne?", "Pourquoi nous retrouvons-nous toujours vers un échec?", "Pourquoi vivons-nous telle peur, telle angoisse?", et encore...

Ce sont ces mémoires qu'il faut réveiller, libérer pour se départir de bien des malaises, maladies, peurs, angoisses, sentiments de rejet, d'impuissance, d'étouffement, etc...

Ces nouvelles lumières aideront sans doute le profane comme le spécialiste à comprendre pourquoi il est essentiel de remonter à la cause qui a engendré l'effet plutôt que de s'acharner à vouloir éliminer l'effet. Cela ne signifie pas qu'il faille négliger l'effet pour autant.

L'HYPOTHALAMUS OU SUBCONSCIENT (ORDINATEUR CENTRAL)

L'hypothalamus est le plus primitif des cerveaux puisqu'il existe déjà chez les reptiles, d'où son autre nom de cerveau reptilien. Il est le siège de la régulation des fonctions vitales: fréquence cardiaque, fonction digestive, température interne, circulation sanguine, d'automatismes innés tels la faim, la soif, l'activité sexuelle, etc. Il est tenu au courant de l'état de l'organisme à tout instant et transmet, si nécessaire, ses informations aux autres cerveaux. C'est la voix du corps dans le cerveau.

L'hypothalamus travaille par automatismes mais il est également subordonné aux ordres émanant du néo-cortex. En d'autres mots, mon hypothalamus ou subconscient, ne raisonne pas. Il obéit selon l'ordre qu'il reçoit du néo-cortex.

Prenons, par exemple, la personne qui dit: "J'ai tendance à grossir." C'est comme si elle donnait directement cet ordre à son hypothalamus, ou subconscient. Ce dernier obéit et fait en sorte de retenir des protéines qui se transformeront en cellules adipeuses puis en tissus adipeux qu'on appelle aussi "graisse".

Prenons un autre exemple bien connu. On met une personne en état d'hypnose et on pose sur son bras une pièce de monnaie froide en lui suggérant que cette pièce est chauffée à blanc. En quelques minutes se développe sur le bras, d'abord une rougeur, puis une cloque qui circonscrit exactement la pièce de monnaie. Tous les spécialistes de l'hypnose affirment que la suggestion, pour être efficace, doit être adressée en terme simple, et surtout fournir des images mentales.

La suggestion, dans le cas présent, informe le néo-cortex qu'une pièce brûlante est posée sur le bras. Automatiquement, ce dernier commande une cascade de réactions physiologiques qui amènent l'hypothalamus à réagir en vue d'adapter l'organisme à la situation pour assurer la survie de l'organisme. On comprend alors pourquoi on dit que le subconscient travaille avec des affirmations simples et des images mentales.

On cite le cas célèbre d'un technicien enfermé par mégarde dans un wagon frigorifique. A l'ouverture du wagon, les cheminots l'ont trouvé mort de froid. Il avait relaté, sur papier, ses dernières heures décrivant tous les signes d'une mort par le froid. Or, le système de réfrigération ne fonctionnait pas. Ce technicien est mort gelé par une température de quelque 20°Celsius. Que s'est-il passé? Quand il s'est aperçu qu'il était bel et bien enfermé dans ce réfrigérateur roulant, il s'est dit: **"Je vais mourir de froid."** Cette information a prévalu sur celles que pouvaient lui communiquer tous les récepteurs de température disséminés dans son corps.

Une émotion violente provenant d'une peur, d'une colère ou d'une profonde déception peut brouiller le travail de l'hémisphère gauche, du néo-cortex, et placer la personne en état de réceptivité, tout comme si elle était en état d'hypnose et imposer à l'organisme des changements physiologiques qui peuvent compromettre gravement sa santé. On dira par exemple que la peur paralyse.

Les travaux des psychologues qui se sont intéressés à cette question indiquent que c'est l'information parvenue à l'hémisphère droit (côté non-rationnel) qui est déterminante, parce qu'ici il n'y a pas d'analyse mais plutôt coloration émotionnelle. Donc, plus j'entrerai une donnée avec émotion, plus vive sera la réponse de mon hypothalamus car l'émotion commande l'urgence de la situation. Par exemple, on me dit calmement que mon fils est tombé. Je poserai des questions pour savoir ce qui s'est passé. Mais si on m'annonce sous le coup d'une émotion que mon fils est tombé, je me précipiterai sans réfléchir. Que se passe-t-il? Le message entre par mon cerveau limbique et est dirigé vers mon néo-cortex droit, l'action à prendre est motivée par mon cerveau limbique et exécutée par mon hypothalamus.

Revenons au cas du technicien. Quand il s'est aperçu qu'il était enfermé dans ce frigidaire roulant, sous le coup de l'émotion, il a pensé: "Je vais mourir de froid." Il a introduit à ce moment-là, par son hémisphère droit, la donnée: "Je vais mourir de froid." Comme il n'y a pas de données contradictoires aux archives de son cerveau limbique, celui-ci laisse passer la donnée et motive l'hypothalamus à l'exécuter. Le cerveau a la faculté de recueillir et d'enregistrer les ondes émises par un objet et transmises par l'oeil. L'oeil voit qu'il est dans un réfrigérateur qui signifie froid, danger, mort. Il a aussi la faculté de les extérioriser en les reproduisant grâce à la vision intérieure. Nous pouvons alors en percevoir à nouveau les images visibles: l'apparition des engelures correspondant à l'image de froid intérieur.

Lorsqu'on voit une chose arriver ou qu'on imagine qu'elle arrive, la vibration correspondante marque les cellules cérébrales jusqu'à ce que l'événement soit si bien fixé qu'il se matérialise.

L'imagination ou visualisation est l'un des plus grands pouvoirs de l'Être humain.

Le cerveau est un médiateur entre la forme existentielle externe et la forme essentielle interne de l'Univers. Pour manifester ou matérialiser l'énergie, l'Être humain possède un merveilleux instrument: son cerveau. En fait, tout ce que l'Être humain peut imaginer au moyen de son cerveau, il peut le matérialiser. Comment? On peut considérer l'analogie d'un instrument de musique, le piano, par exemple. Cet instrument me permet d'entendre les tonalités musicales. C'est grâce à la pression de mon doigt sur l'une des touches qui crée une vibration correspondant à une note de musique que mon oreille physique peut l'entendre. Pour obtenir les notes "do, ré, mi" la pression se fera donc sur des cordes différentes. Notre cerveau est l'instrument, ses cordes sont ses différentes parties (néo-cortex, cerveau limbique, hypothalamus, etc.). Nos pensées sont les pressions qui émettent les vibrations correspondantes (résonance). La tonalité produite est la manifestation de cette pensée. Ici encore on peut comprendre le phénomène de résonance.

Certaines personnes se demandent pourquoi les pensées négatives semblent se concrétiser davantage que les pensées positives. Si j'appose une faible pression sur la corde de l'instrument, sa résonance sera faible et produira une manifestation de courte durée, parfois même trop courte pour être observable. Il en va de même de nos pensées. Si je pense positivement très brièvement, l'intensité de ma pensée peut être trop faible pour que je puisse en voir la manifestation. Mais, si je soutiens mes pensées fortement sur un aspect négatif, je serai en mesure d'en observer les manifestations. C'est souvent ce qui se passe avec nos peurs.

Tout ce qui existe sur le plan matériel existait déjà sur le plan énergétique vibratoire. L'avion, la fusée et le bateau ont d'abord été visualisés sous la forme de pensées avant d'être matérialisés. La musique existe sans l'instrument. Certaines personnes ont la capacité de capter cette musique et de l'entendre à l'intérieur d'elles-mêmes. Mais, pour être en mesure de la transmettre, pour qu'elle devienne audible, elles ont besoin d'un instrument. Cet instrument peut être leur voix tout comme un instrument de musique. Un grand pianiste, André Gagnon, expliquait lors d'un spectacle comment il avait écrit une musique qui lui avait valu un énorme succès. Le nom de cette pièce est "Neige". Il nous raconta avoir entendu cette musique alors qu'il n'avait que 4 ou 5 ans, et ce n'est que beaucoup plus tard qu'elle lui revint et qu'il l'écrivit.

La pensée de l'Être humain est le résultat de l'intelligence totale de ses atomes et peut manifester (on utilise parfois le terme "créer" en disant que l'Être humain peut créer). Il serait plus juste d'utiliser les termes "manifester" ou "matérialiser" sur le plan visible ce qui existe sur le plan invisible et ce, selon le choix des fréquences vibratoires avec lesquelles elles entrent en relation.

Le drame de l'ignorance humaine est d'être inconscient de ce potentiel "créateur", c'est-à-dire d'être en mesure de manifester l'énergie de manière constructive ou destructive. Un ciseau de chirurgien peut accomplir des miracles et sauver des vies, tout comme il peut trancher les doigts de celui qui ne sait pas s'en servir. C'est sa qualité d'être tranchant. Mal utilisé, cela devient son défaut. Accuserons-nous le ciseau d'avoir tranché le doigt de l'ignorant? On peut donc commencer à comprendre que le mal, la maladie, le mal-être et la pauvreté ne proviennent que d'un usage non bénéfique des pouvoirs de manifestation que possède l'Être humain.

À l'échelle biologique humaine, mon niveau de conscience délimite mon potentiel créateur. Au-delà réside la non-conscience. Si je fixe mon attention sur des pensées de basses fréquences énergétiques (autrement dit de densité grossière) telles la peur, le doute, la colère, la critique, l'agressivité, l'intolérance, l'impatience, la rancoeur, la haine, etc., je serai réceptif à percevoir toutes les vibrations qui se syntonisent ou qui résonnent avec mes modes vibratoires propres et je les attirerai pour qu'elles se manifestent dans mon univers conscient comme je me manifeste dans leur univers propre. C'est en pensant à la guerre que l'on "crée" ou manifeste le conflit réel. Par contre, si je fixe mon attention sur des pensées qui ont de hautes fréquences énergétiques (de densité légère) telles l'amour, la joie, la paix, la confiance, la patience, la compréhension, le calme, etc., *je serai également réceptif à toutes les vibrations qui se manifesteront dans mon univers propre.*

Ajoutons à ceci que lorsque nous sommes calmes intérieurement et en harmonie, nos vibrations sont alors très fortes, nous éprouvons une certaine puissance et rien ne peut nous atteindre. Lorsque nous sommes nerveux, irrités, dépressifs ou agressifs, nos vibrations sont très faibles. La moindre petite contrariété aura un effet négatif sur notre personne. En physique, il existe une loi simple et efficace selon laquelle les vibrations élevées surpassent en énergie les vibrations basses.

Ce qui est merveilleux c'est que j'ai le choix de me syntoniser où je le désire. Des sentiments nobles dans une conscience élargie laissent peu d'emprise aux phénomènes négatifs. Ils attirent des pensées analogues, des gens qui vibrent sur la même longueur d'onde, des événements de mieux-être. **Nous devons donc accepter que nous sommes totalement responsables de nos propres pensées.**

Toutes nos pensées et paroles, bonnes ou mauvaises, nous reviennent aussi sûrement que nous les avons émises. C'est pourquoi, si je pense ou dis:

- que je n'ai pas de talents; je ne les développerai pas;
- que je n'ai pas de chance; je raterai d'excellentes occasions;
- que la vie est un combat; elle le sera pour moi;
- que je n'ai pas de santé; je serai souvent malade;
- que je suis toujours en retard; je le serai;
- que je suis paresseux, agressif, hyperémotif...; je le serai.

Le même phénomène se produit par rapport aux pensées que j'entretiens envers les autres. Si je pense ou dis:

- que le monde est égoïste; j'attirerai des personnes égoïstes;
- que l'on ne peut plus faire confiance à personne; j'attirerai soit des personnes irresponsables ou des personnes dont je devrai me méfier.

Les pensées que j'entretiens créent (manifestent) le monde qui m'entoure. Combien de fois une mère parle-t-elle de son enfant comme d'un vrai petit diable alors que le professeur (par exemple) le voit comme un enfant adorable. L'enfant, sans même pouvoir se l'expliquer, agira en petit diable avec sa mère et en ange avec son professeur, selon les pensées que chacun entretient. On fit un jour une expérience dans une école: lors de la rentrée scolaire, on confia à un groupe de professeurs le nom de certains étudiants à qui ils enseigneraient pendant l'année, en leur signalant qu'ils étaient particulièrement brillants. À la fin de l'année scolaire, on remarqua que lesdits étudiants avaient effectivement obtenu des résultats supérieurs à la moyenne... pourtant, le nom de ces étudiants avait été tiré au hasard.

On peut donc imaginer les conséquences de nos pensées envers nous-mêmes et notre entourage. En changeant nos pensées, on se transforme soi-même et l'on est en mesure d'observer que notre milieu familial et social se transforme autour de nous, sans que nous ayons à prononcer un seul mot, car tout dans l'Univers est vibration et tout est en interaction. La conscience globale est faite de l'ensemble des pensées individuelles.

Le professeur Eccles dont nous avons précédemment parlé nous apporte davantage de lumière sur la nature vibratoire de la conscience (ou de la pensée). Ses recherches posaient la question suivante: lorsque le cerveau est mort, les vibrations de la conscience et de la pensée sont-elles toujours présentes dans le cerveau matériel? On a fait des recherches similaires au Japon dans le domaine de la psychosomatique et la conclusion fut que l'Être humain est un centre d'énergie dont la conscience repose au milieu du front, à l'avant, un peu plus bas que les sourcils. Ce point est souvent appelé le troisième oeil (centre frontal). Cette source minuscule irradie ses propres vibrations, elle ressent, pense, agit et sait qui elle est.

En tant que point d'énergie à l'avant de mon cerveau, **je suis**, j'ai conscience d'être. Aussi longtemps que je m'identifie à mon corps, mes pensées sont esclaves de mon cerveau, de mes sens, de mes organes, donc de la matière et de tout ce qui s'y passe. J'interprète tout en fonction du "monde matérialisé".

En me concentrant sur mon centre frontal (par la méditation, par exemple), je dépasse l'aspect matériel de la vie en développant ma compréhension de moi-même, de la vie, de l'Univers, et j'irradie une grande énergie étant reliée à une source supérieure. Je ressens une grande paix intérieure et mes vibrations s'élèvent. Mon corps reprend alors son rôle d'instrument. Mon cerveau n'est que l'instrument de mon champ de conscience. Tout comme un ordinateur, il est fait de matière. Par lui-même, il ne peut ni penser, ni se souvenir, ni être conscient. Ce n'est que lorsqu'il est branché à la source qui l'alimente qu'il peut accomplir des merveilles.

Certaines personnes s'interrogent sur la différence entre le conscient, l'inconscient, le subconscient et la superconscience et leur localisation.

Le conscient correspond à ce que **je sais déjà**, ce dont **je me souviens** et ce que je suis en mesure de percevoir par mon cerveau limbique (en rapport avec mes expériences passées) et par mon néo-cortex au moyen de mes sensations et réflexions sur ce que je reçois par les organes de mes sens.

L'inconscient correspond à ce que **je ne sais pas**, ce que **j'ai oublié** mais qui est toujours en mémoire (fonctionnelle ou émotionnelle) et ce que je ne suis pas en mesure de percevoir. Par exemple, les messages subliminaux qui ont une fréquence trop rapide pour être visualisés ou entendus et qui sont quand même captés par l'hypothalamus (subconscient). Comme la grande majorité des êtres humains agissent automatiquement, selon l'éducation reçue, ils n'ont pas le réflexe d'être attentifs à ce qui se passe dans leur monde. Ils ne savent pas pourquoi ils sont malades, pourquoi telle personne attire toujours le même genre de conjoint, pourquoi la guerre, la famine, la misère. Ils se satisfont de réponses toutes faites. Ce qui importe pour eux c'est la satisfaction de leurs besoins et de leurs désirs. Il en va de même des paroles qu'ils prononcent, des pensées qu'ils entretiennent, lesquelles ont d'importantes conséquences dans leur vie.

Souvent, une personne à qui l'on demande comment elle va, répond: "Pas si pire." Elle vient de dire que cela va pire, mais pas tant que cela. Que vivra-t-elle? Le pire. Ce mot crée (manifeste) le pire dans son monde.

On peut penser à tous les clichés lancés automatiquement: "C'est épouvantable.", "Cela n'a pas d'allure.", "C'est effrayant.", "C'est terrible.", "C'est l'enfer.", et bien d'autres encore.

Des recherches ont démontré que l'Être humain n'utilise en moyenne que 10% de son cerveau parce qu'il est inconscient de tout son potentiel divin. Comment l'Être humain peut-il être "maître" de sa vie s'il est aussi peu conscient? Ce livre se veut un instrument extraordinaire d'éveil de conscience.

Le subconscient correspond à l'exécuteur, celui qui reçoit des ordres et qui fait en sorte qu'ils soient exécutés. Il ne réfléchit pas et obéit. C'est pourquoi on l'a souvent comparé à un serviteur, à une puissance intérieure sans discernement, etc. Il est relié à mon hypothalamus. Il comprend les messages simples, les directives précises et les images. Tant de livres traitent déjà du subconscient que je vous en ferai grâce.

La différence principale entre l'inconscient et le subconscient est que l'inconscient peut être éveillé et devenir conscient. Le subconscient, qui est l'équivalent d'un ordinateur central, demeure tributaire de l'information qu'il reçoit.

Ce qui est merveilleux c'est que plus je deviens conscient, plus je suis en mesure d'utiliser cette puissance (mon subconscient) pour manifester ou matérialiser mes désirs. Je prendrai donc la maîtrise de ma vie puisque je serai aux commandes de mon ordinateur central. Je peux changer des commandes non bénéfiques enregistrées par le passé et amplifier les réalisations de mon présent.

La superconscience ou supraconscience est très souvent décrite comme étant le côté divin, la partie divine ou le Maître intérieur en chaque personne. C'est la partie de nous qui sait tout, connaît tout et peut tout. C'est l'énergie, issue de la conscience globale (Dieu), qui anime l'Être humain. Ce qui explique les mots du Christ lorsqu'il disait: "Mon père et moi ne sommes qu'un" et "Nous sommes tous frères."

C'est par la voix du silence, de l'intuition et de l'attention à ce qui se passe en moi et autour de moi que je suis consciemment en liaison avec cette superconscience. Elle me permet alors de voir au-delà des apparences, de savoir sans avoir appris, de prendre la direction et les décisions qui me sont favorables. Lorsque je demande à être guidé, à être conduit vers la bonne personne ou encore que l'on me donne une réponse très importante pour moi, la superconscience peut se servir de mon subconscient qui fera en sorte que je trouve le livre, la revue ou que j'écoute l'émission qui me donnera la réponse. Bref, elle est celle qui me conduit sur la route de mon évolution.

DEUXIÈME PARTIE

LES MALADIES PAR
CRÉATION MENTALE
OU MANIFESTATIONS DE LA PENSÉE
DANS L'ORGANISME

Pour traduire de façon concise l'enchaînement dans le temps des phénomènes de manifestation ou de matérialisation, mon esprit se fonde sur un principe de causalité: "Tout effet a une cause." Dans le langage scientifique déterministe, la causalité s'énonce ainsi: "Tout fait a une cause et les mêmes causes, dans les mêmes conditions, produisent les mêmes effets." Mais lorsque la pensée humaine entre en jeu, cette théorie doit être redéfinie, nuancée. Mon expérience auprès des nombreuses personnes qui sont venues me consulter m'amène à savoir que les mêmes effets, par exemple l'arthrite, peuvent avoir des causes différentes. Une personne peut développer de l'arthrite pour avoir de l'attention, une autre par besoin d'excuse pour éviter un emploi qu'elle n'aime plus, alors que l'arthrite d'une autre personne pourra provenir d'une culpabilité. C'est pourquoi chaque cas doit être traité individuellement et c'est la raison pour laquelle, dans ce volume, j'utilise à plusieurs reprises les termes "souvent", "il se peut que" ou "il est possible que" afin de marquer qu'il peut y avoir d'autres possibilités tant qu'aux causes d'une maladie. Il n'en demeure pas moins que chaque effet a une cause, mais ce n'est pas toujours la même cause qui produit l'effet observé. Tout comme une même cause peut produire des effets différents. L'abus sexuel, par exemple, ne laisse pas une seule et même empreinte chez ses victimes.

J'utilise des concepts rattachés à la physique, à la métaphysique, à l'énergie et à la résonance pour faire comprendre que la santé comme la maladie sont des états d'être en correspondance directe avec les schèmes de pensée que nous entretenons. Tant et aussi longtemps que nous refusons d'accepter que ce sont nos schèmes de pensée qui sont les causes de nos "mal-être", nous y replongeons jusqu'à ce que nous soyons prêts à éveiller notre conscience au fait que nous sommes créateurs de la situation que nous vivons.

Combien de personnes lors de mes conférences sursautent lorsqu'elles entendent que nous créons (manifestons) nos malaises. "C'est moi qui me crée mon arthrite? Bien voyons! C'est impossible!"

Ce que l'on ne comprend pas par la sagesse, la souffrance se charge de nous l'apprendre.

Nous pouvons retirer de grands bénéfices de cette loi de responsabilité, car si nous pouvons créer (manifester) nos malaises, nous pouvons également créer ou manifester nos désirs les plus chers.

C'est lorsque je pris conscience et que j'acceptai que je créais mes états dépressifs, que je cessai d'en imputer la responsabilité à l'hérédité paternelle que je pus m'en libérer et utiliser cette énergie à des fins plus agréables.

Dans les chapitres qui suivent, nous verrons comment les schèmes de pensées que nous entretenons (peurs, culpabilités, critiques, colères, intransigeance, ressentiment, haine, désir de fuite, etc.), peuvent nous entraîner dans le gouffre de la souffrance et de la maladie.

CHAPITRE IV

LES MALADIES RELIÉES À LA PROGRAMMATION ET AUX INFLUENCES

Comme nous l'avons vu au chapitre sur le cerveau, ce sont nos pensées qui créent le monde dans lequel nous vivons. Plusieurs de ces pensées ou programmes sont issus de notre éducation. Une recherche faite aux États-Unis a démontré qu'un enfant avant l'âge de 6 ans entendait en moyenne 40 000 fois le mot **"non"** sans compter les "Tu n'es pas capable.", "Tu n'y arriveras pas.", "La vie est un combat.", "Le monde est une jungle.", "Les gros mangent les petits.", "Quand on est né pour un petit pain..." et combien d'autres programmations qui façonnent notre vie.

L'idéal serait de se donner des programmations à caractère positif qui ont des effets bénéfiques dans notre vie. Pour se libérer d'une programmation à caractère négatif, tout de suite après y avoir pensé ou après l'avoir dite, on peut dire **"J'ANNULE."** Si, par exemple, j'ai l'habitude de dire: "Je traîne"; "Ça n'avance pas."; "J'ai de la misère."; "Je ne m'en sortirai jamais."; "Je suis comme ma mère."; "J'ai tendance à ..."; "Je suis fragile à ..."; "Je suis myope comme une taupe."; "Je suis sourd comme un pot."; etc. Chaque fois que je m'entendrai dire l'une de ces assertions, je pourrait donc dire **"J'ANNULE"** et la remplacerai par une affirmation positive, du genre: "Je vais de mieux en mieux."; "J'avance."; "J'ai tout en moi pour réussir et je réussis en tout."; "J'ai de plus en plus de force."; "Je vois de mieux en mieux."; "J'entends de mieux en mieux."; etc.

CES MOTS QUI CRÉENT NOS MAUX

Je ne vous raconterai pas tous les cas de programmation rencontrés, mais je vais vous donner les phrases correspondant au malaise ou à la maladie:

Je n'ai pas de force =	*faiblesse*
Je n'ai pas d'énergie =	*fatigue*
Je dois toujours me retenir =	*constipation*
Je me sens étouffer =	*asthme, problème respiratoire*
Je ne peux pas le digérer =	*maux d'estomac*
Je ne l'ai pas avalé =	*mal de gorge*
Je ne peux le sentir =	*sinusite*
Ça me déchire les entrailles =	*maux de ventre très souffrants ou hémorragies*
J'ai pas le moral =	*dépression*
Je me sens pris à la gorge =	*sentiment d'étouffer, problème respiratoire*
J'ai l'impression de piétiner =	*mal aux pieds*
Je me fais de la bile =	*acidité gastrique*
J'ai toujours fermé ma gueule =	*cancer du larynx*
Ça me fend le derrière =	*fissures anales*
Je me fais du mauvais sang =	*cholestérol, septicémie*
Je dois toujours me battre =	*maladies du sang dont la leucémie*
Il me tombe sur la rate =	*problèmes avec la rate*
Il me brûle =	*brûlements d'estomac*
Dans ma vie rien ne marche =	*difficulté à marcher*
Je n'ai jamais eu de soutien =	*manque de soutien au niveau de l'arche du pied*
J'engraisse à l'eau claire =	*obésité*
Je ne le prends pas =	*mal au bras*

Une personne avait comme expression "tirer de la patte" et cette personne a fini par boiter. On pourrait continuer encore longtemps.

Luce qui souffrait de la fièvre des foins depuis vingt ans

Lors de ma rencontre avec Luce, elle me dit: "Moi, je n'ai pas besoin d'un calendrier pour savoir quand c'est le 16 juillet, je débute ma fièvre des foins et ce, depuis vingt ans."

La première fois que Luce a fait une fièvre des foins, il y avait une cause, bien entendu. Puis l'année suivante, à la même période, elle refait à nouveau une fièvre des foins. Elle en conclura, et ceci entrera dans son ordinateur, ces mots simples et efficaces: "Le 16

juillet, je débute ma fièvre des foins.".
Pour s'en libérer, Luce a dû changer sa programmation. Elle
en prit conscience et décida qu'à partir de ce jour ses voies
respiratoires fonctionnaient parfaitement en harmonie, tout au long
de l'année, sans exception. La fièvre des foins disparut complètement.

Moi-même et un problème d'acidité

Un jour, je consulte une amie iridologue qui me dit qu'elle voit
dans mon iris que je fais de l'acidité et me demande si quelqu'un
dans mon entourage me fait vivre des émotions. Je lui réponds
qu'en effet et qu'il s'agit de mon conjoint. Et je me mets à répéter,
en badinant (car j'aime mon conjoint): "Lui, il me fait faire des
litres d'acide.". Au bout de trois jours, je faisais tellement d'acidité
gastrique qu'aucun médicament anti-acide n'arrivait à neutraliser
tout cet acide. C'est lorsque j'ai pris conscience de ma programmation que j'ai pu arrêter ce flot d'acide que j'avais déclenché en
donnant cet ordre à mon hypothalamus.

Il n'y a pas seulement sous état hypnotique que nous recevons
des suggestions. Une étude (publiée par la très sérieuse revue
médicale britannique Lancet) a apporté la preuve que les suggestions influencent fortement notre subconscient et ceci même lorsque
nous sommes endormis sur une table d'opération. Le subconscient,
veilleur de jour et de nuit, possède la faculté d'entendre et
d'enregistrer, même lorsque nous nous trouvons dans un profond
sommeil.

Un grand chirurgien anglais avait réalisé dans son service une
expérience en "double" aveugle. Au cours d'opérations, il avait fait
entendre à quarante-trois patients, sous anesthésie, des messages
enregistrés contenant des suggestions optimistes de guérison. Dans
la même période, trente-huit autres malades avaient été opérés
normalement, sans messages enregistrés. Les résultats n'avaient
guère laissé place au doute: tous les malades du premier groupe
avaient guéri plus rapidement que ceux du second...

On peut se demander ce qui se serait produit si, à l'inverse, le
chirurgien, par inconscience, pensant le patient non réceptif, parce
qu'il était endormi, s'était exclamé: "Celui-là, il ne s'en sortira
pas.".

On peut commencer à voir l'importance des suggestions. Il n'y a pas seulement sous des états de sommeil artificiel (hypnose ou anesthésie) que nous recevons des suggestions. Depuis notre plus tendre enfance, nous avons été soumis à diverses influences. Les plus marquantes seront celles que nous aurons données les personnes en qui on mettait notre confiance, en l'occurrence nos parents, éducateurs, médecins. Combien de commentaires lancés inconsciemment vont parfois influencer négativement le cheminement physique ou psychique d'un enfant et le poursuivre jusqu'à l'âge adulte.

Par exemple, on me disait, d'une part, que mon père était un malade mental et qu'il s'était peut-être suicidé lors de son accident de voiture et, d'autre part, que j'étais pareille à mon père. J'en ai déduit inconsciemment que j'étais une malade mentale. Ce ne fut pas facile de me défaire de cette influence. C'est, une fois de plus, en éveillant ma conscience que j'ai pu me libérer de cette suggestion mentale.

Ou encore on dira à l'enfant qu'il n'a pas de santé, qu'il est fragile des poumons comme son père, ou qu'elle aura tendance à faire des varices comme sa grand-mère, et encore.

Prenons le cas de Ginette qui souffrait d'agoraphobie. Toute jeune, Ginette a une tante qui est agoraphobe (peur d'avoir peur). Sa grand-mère ne cesse de lui répéter combien elle ressemble à sa tante Lise (celle qui souffre d'agoraphobie et qui finira ses jours en institution) dans sa manière de se bercer, de manger, de passer des heures, seule, à lire. Quelques fois, la Tante Lise peut quitter l'institution pour visiter sa mère. Ginette, qui habite à côté de sa grand-mère, a très peur de cette tante qu'elle croit folle. De la comparaison que sa grand-mère établit entre elle et sa tante naît la peur de devenir comme cette tante qu'elle craint tant. Et comme une peur nourrie émotionnellement finit par se réaliser (nous le verrons au chapitre traitant des maladies reliées à la peur), Ginette développera graduellement tous les symptômes de l'agoraphobie. Quand elle vient me consulter, la première fois, elle est dans un état de panique: ce qu'elle craignait le plus n'était pas les symptômes de l'agoraphobie, mais la peur de devenir folle.

Gilberte et la sclérose

Lorsque Gilberte est enfant sa mère dit à qui veut bien l'entendre que Gilberte n'a pas de santé, qu'elle sera toujours malade, qu'il n'y a rien à faire avec elle. Aussi Gilberte développe-t-elle maladies sur maladies. Assez curieusement Gilberte se marie et a trois enfants. L'un d'eux souffre de crises d'asthme très sévères. Le médecin lui dit qu'il en sera atteint toute sa vie et qu'il devra prendre également des médicaments toute sa vie. Gilberte refuse ce diagnostic et fera en sorte d'aider son fils positivement. Ce dernier se libérera complètement de son asthme. Pourquoi Gilberte ne peut-elle se libérer de ses maladies consécutives? Lorsqu'elle commence à développer la sclérose on lui dit qu'elle se retrouvera bientôt invalide, qu'elle prendra le fauteuil roulant. Aussi malgré tous ses efforts de volonté Gilberte glisse graduellement vers l'infirmité. Pourquoi son fils s'en est-il libéré et qu'elle ne le peut pas? Tout simplement parce qu'elle a enregistré, dans sa mémoire émotionnelle (cerveau limbique) ce que sa mère lui disait. Mais 45 ans plus tard cette donnée est inconsciente pour elle. En la retrouvant elle pourra s'en libérer en comprenant que ce qu'elle avait interprété comme "Celle-là n'est pas aussi bonne que les autres." était plutôt "Dans mon amour, j'ai peur pour Gilberte.". Aussi pourra-t-elle comprendre que si, en acceptant cette peur, elle s'est créé la maladie, maintenant, elle peut créer sa guérison.

Martine et ses kystes au sein

Martine, qui vient d'avoir dix-huit ans, conduit sa première voiture. Aussi se fait-elle une joie de conduire sa mère pour une visite de prévention chez son médecin. Un an plus tôt, sa mère avait eu un cancer du sein, ce qui lui avait valu une mamectomie. Dans le cabinet, le médecin se tourne vers Martine et lui dit: "Si j'étais à ta place, je me ferais enlever les deux seins et me ferais poser des prothèses. Les femmes qui font un cancer du sein ont des filles qui développent très souvent aussi des cancers du sein." Martine vit dans cette peur qui l'angoisse alors qu'avant cela ne lui avait jamais effleuré l'esprit. Elle se "surexamine" et découvre bientôt de petites bosses, mais elle a trop peur pour consulter. Lorsque je la rencontre pour la première fois, elle me dit qu'elle ne peut plus dormir sur le ventre, que les seins lui font trop mal. Après avoir identifié la cause, tous les kystes disparaissent. Aujourd'hui, Martine est mère d'une jolie petite fille et n'a aucun problème mammaire.

Charles et ses sérieuses déficiences mentales

Charles a un problème de comportement, en plus d'être alcoolique. Sur la recommandation de ses patrons, il consulte un psychiatre. A sa dernière visite où on doit lui donner un compte-rendu des visites et traitements reçus, sa femme, Élise, l'accompagne. Le psychiatre, sans ménager ses mots, lui lance au visage: "Monsieur, vous êtes atteint de sérieuses déficiences mentales." et se tournant vers Élise, lui dit: "Si j'étais vous, madame, je songerais sérieusement au divorce et à refaire ma vie avec quelqu'un d'autre." Sur ces mots, Charles dit: "Très bien, je vais m'en occuper." Il passe la porte en colère. Charles cessera de boire, mais sera toujours persuadé qu'il porte en lui un gouffre. Il détruira sa relation avec sa femme en l'encourageant à fréquenter un autre homme. Et chaque fois qu'une personne s'approchera de Charles, il détruira la relation en germe, de crainte d'entraîner l'autre dans son gouffre, lequel, rappelons-le, ne provient que de l'influence reçue.

Ces affirmations ont beaucoup aidé ces personnes:

"Je demande à mon esprit conscient et inconscient de rejeter totalement et immédiatement toute affirmation entendue, à caractère négatif, qui ne contribue pas à mon plus grand bien-être, et de la remplacer par l'harmonie totale de mon être."
"Je suis le seul maître de ma vie et toute pensée non bénéfique en moi et autour de moi est libérée et relâchée immédiatement. Je sais que j'ai le pouvoir de guérir et je guéris totalement et maintenant."

DONC, ATTENTION AUX INFLUENCES DE CEUX EN QUI ON PLACE NOTRE CONFIANCE.

Et nous-mêmes, soyons attentifs aux suggestions que nous donnons aux autres. Je pense surtout aux parents et aux intervenants dans le domaine de la santé. Nous aurions intérêt à surveiller les suggestions ou les remarques que nous faisons à nos bénéficiaires. Qu'elles soient toujours positives et encourageantes, car d'une façon comme d'une autre, elles feront leur chemin.

Il y a des personnes qui rejettent les suggestions faites par une autorité médicale. Par exemple, si on dit à la personne qu'il lui reste trois mois à vivre, elle peut répondre qu'elle refuse cette affirmation et qu'elle va guérir. Sa décision est plus forte que la suggestion, mais parfois, elle devra lutter contre la suggestion reçue, surtout si elle a été reçue avec émotion. Mais la majorité l'accepteront parce qu'ils sont inconscients de cette puissance.

Vous qui lisez ces lignes, n'acceptez jamais de telles suggestions. Acceptez, qu'en tant qu'Être Humain, vous êtes à l'**image de Dieu**, que vous possédez le pouvoir de vous autoguérir, quelle que soit la maladie acquise.

57

CHAPITRE V

LES MALADIES RELIÉES À LA MANIPULATION

Ces maladies peuvent se présenter sous toutes les formes d'affliction. Elles ont en commun la **recherche d'attention** qui provient du sentiment de séparation de la personne ou des personnes qui sont dispensatrices de l'amour. Elles peuvent également être utilisées comme **excuse** pour éviter de faire face à une situation, une réprimande, un effort qui nous rebute, etc. Il n'y a pas d'âge pour vivre une maladie reliée à la manipulation.

LE BESOIN D'ATTENTION

Mon propre cas

Pendant nombre d'années, j'ai vécu maladie après maladie, en plus de neuf interventions chirurgicales. Dans ma mémoire émotionnelle l'équation "maladie égale recevoir de l'attention" avait été enregistrée alors que j'avais six ans. Ce fut l'âge où je fut envoyée au couvent comme pensionnaire. Un jour où je faisais une pneumonie, les soeurs inquiètes avaient fait venir ma mère qui n'était en temps régulier, autorisée qu'aux visites froides du parloir le dimanche. Mais grâce à cette maladie, j'avais l'attention tendre et soutenue de ma mère. C'est ainsi que pour avoir de nouveau cette attention, je refis plusieurs pneumonies. Au mois d'avril on décida de m'opérer pour les adénoïdes les tenant responsables de mes pneumonies. J'ai eu droit cette fois à trois jours spéciaux avec ma mère. L'équation "être malade égale avoir de l'attention" s'accentua avec "être opérée égale avoir beaucoup, beaucoup d'attention".

C'est ainsi que dans ma vie, lorsque je manquais d'attention de la part de ceux que j'aimais, je devenais malade et en période de grande carence, je me développais une maladie nécessitant une opération.

Ma fille

Comme ma mère, je me suis retrouvée sans conjoint alors que ma fille était très jeune. Comme elle, j'ai dû travailler à l'extérieur pour assumer ma subsistance, ainsi que celle de ma fille. Vers l'âge de deux ans, Karina a des poussées de fièvre importantes qui alarment les responsables de la garderie qu'elle fréquente. Sur leur insistance, je dois quitter mon travail pour récupérer mon enfant fiévreuse. Ce qui m'intrigue, c'est qu'à mon arrivée à la garderie, elle est brûlante de fièvre, mais dès que nous passons le seuil de la maison, elle se porte à merveille, et la fièvre disparaît complètement. Ce même scénario se reproduit pendant des semaines jusqu'à ce que la garderie me menace de ne plus reprendre mon enfant si je ne la fais pas examiner par un médecin. Ce que je fais. Je demande alors au pédiatre: "Est-ce que mon enfant pourrait créer elle-même sa fièvre?" Et ce dernier me répond, sans préambule: "Voyons donc, madame, la fièvre est toujours signe d'infection. Surveillez bien, d'ici quelques jours, il va lui sortir une infection." Rien n'apparut!

Puis ce furent les vomissements. Ils revenaient tous les trois ou quatre semaines environ, débutaient rarement avant minuit et se prolongeaient jusqu'au début de la matinée. Cela lui donnait droit de dormir dans mon lit, ce qui n'était pas autorisé en d'autres temps. Elle avait droit à toute l'attention que requiert la personne malade, une journée de congé avec maman lui était également accordée. Combien de visites aux pédiatres et à l'urgence ai-je faites! Je leur disais: "Cette enfant a quelque chose, ces vomissements traduisent un problème digestif." A trois ans et demi, on lui fit l'ablation des amygdales, responsables, croyait-on, des vomissements de Karina. Les vomissement cessèrent-ils après l'opération? Nullement. Il se poursuivirent jusqu'à ce que Karina eut cinq ans. C'était le début de mes recherches sur les maladies psychosomatiques. Et, par une autre de ces nuits blanches que je passais, je pris un risque et lui dis: "Écoute ma chérie, je veux que tu saches que je t'aime, mais je ne te donne plus cette forme d'attention. Arrange-toi avec tes vomissements, moi je vais dormir." Je me sentis intérieurement très dure, mais ce fut la dernière fois, et ce fut également la fin des maladies d'attention. Le stratagème avait été découvert.

"Nos enfants vivent souvent ce que nous avons vécu nous-mêmes et nous, nous vivons souvent ce qu'ont vécu nos parents.

"Julie et Amélie

Julie est de trois ans l'aînée d'Amélie. Petit bout de femme de huit ans, Julie est traitée depuis bientôt quatre ans tous les mois, pour ne pas dire toutes les semaines. Elle est affligée de plusieurs pathologies, ce qui l'amène à faire usage d'une grande quantité de médicaments. La mère, un peu découragée, vient me consulter. Elle me parle de ses filles, Julie, toujours malade, et Amélie, en pleine santé. Julie, sans grande beauté, est une petite brunette, chétive, avec de petits yeux bruns. Amélie, elle, ressemble à une vraie poupée blonde, aux cheveux bouclés et de grands yeux bleus. Lorsque les parents sortent avec les deux enfants, il n'y en a que pour Amélie, qui est si belle. Bientôt Julie commence à être malade et on ne parle plus que des maladies de Julie. Julie a récupéré l'attention perdue avec l'arrivée de sa soeur. Lorsque la mère en prend conscience, elle cesse de jouer le jeu de Julie. Celle-ci guérit très rapidement. Les parents ont, à partir de ce jour, valorisé les autres aspects de Julie afin que l'attention soit répartie entre les deux enfants.

Jean-François et son eczéma

Jean-François a deux ans. Depuis qu'il est placé en garderie, il développe de l'eczéma, mais c'est surtout la nuit qu'il se gratte. Si sa mère refuse, par épuisement, de répondre à ses pleurs, il se gratte jusqu'au sang. Ceci jusqu'au jour où elle lui explique pourquoi elle l'a placé à la garderie et son besoin de sommeil. Elle lui dit combien elle l'aime mais qu'elle refuse de lui donner cette forme d'attention. Graduellement l'eczéma disparaît complètement.

J'ai parlé de problèmes d'enfants, mais il persiste toujours un enfant en chacun de nous. Il n'y a donc pas d'âge pour développer cette forme de maladie.

Nous n'avons qu'à penser à la mère qui déclenche une crise de rhumatisme chaque fois que ses enfants sont trop longtemps sans lui rendre visite. Ou encore, cette voisine qui se plaint continuellement de ses migraines mais qui ne veut rien faire pour s'en libérer.

Un jour, je donnais un atelier sur la santé, c'était un mardi soir, j'arrivai à l'atelier vers 19 h 20, comme d'habitude. Dans un coin, je remarque un homme qui semble avoir de la difficulté à respirer. Je m'approche de lui et il me dit: "J'étouffe." Alors, de ma main droite, je lui envoie de l'énergie, quand soudain il tombe par terre en crise d'hystérie. Je l'entoure et lui dis: "C'est ça, pleure, ça va te faire du bien, tu peux aussi crier." La crise dure environ cinq minutes. Son frère qui l'accompagne, se trouve très mal à l'aise et ne sait que faire. Par la suite, il me confie que ses crises duraient normalement entre cinq et huit heures. Ses parents tentaient par tous les moyens de le ramener. En désespoir de cause, son frère l'avait accompagné à cet atelier en vue de l'aider. Qu'ai-je fait de différent pour que la crise soit de courte durée? **Je lui ai permis d'exister dans sa souffrance, de se savoir compris, sans entrer dans sa manipulation affective.** Bien entendu, la personne qui utilise ce stratagème ne le fait pas consciemment. La plupart du temps, elle ne peut expliquer pourquoi cela lui arrive.

C'est très souvent dû à une grande carence affective vécue dans l'enfance (genre: rejet, abandon, séparation de l'être qui représentait la source d'affection) qui amène une personne à utiliser cette manipulation affective. Cette personne ne connaît très souvent pas d'autres moyens de combler son besoin d'attention et d'affection. Et ceux qui répondent à cette demande encouragent cet état d'être, tout en se vidant de leur propre énergie.

Marie veut se suicider

Marie dit à Jérôme qu'elle va se suicider s'il part. Bien entendu, ce n'est pas l'adulte en Marie qui s'exprime ainsi, mais l'enfant qui a manqué d'affection et qui croit qu'il ne pourra plus vivre s'il n'est pas aimé et entouré. Jérôme a très peur. Ce qu'il redoute le plus, c'est de porter la responsabilité du suicide de Marie. Il marche donc dans ce chantage affectif qui, avec le temps, s'amplifie chaque fois qu'il veut prendre un peu de distance. Par ce comportement, Jérôme encourage la dépression de Marie.

Il y a des personnes qui, inconsciemment, se valorisent dans la souffrance ou la dépression de leurs proches car elles trouvent leur utilité dans ce support. C'est souvent en voulant faire le plus de bien qu'on fait le plus de mal.

Que faire face à cette manipulation affective?

1. Faire savoir à la personne qu'on l'aime, qu'on comprend son besoin d'amour;
2. lui dire qu'on ne veut cependant pas répondre à cette forme de demande d'affection ou d'attention (pour mieux comprendre, revoir le cas de ma fille);
3. l'orienter vers une personne qui pourra l'aider si **tel est son désir** et **qu'elle le demande.** (Combien de personnes me téléphonent pour savoir comment aider certains de leurs proches qui, souvent, ne veulent pas d'aide.);
4. si elle ne veut pas de cette aide, la laisser libre d'expérimenter davantage la souffrance.

Que faire si la personne se plaint de ses souffrances et ses malheurs? L'écouter attentivement et lorsqu'elle a terminé, lui demander ce qu'elle a maintenant l'intention de faire face à ses problèmes.

Si elle répond: "Qu'est-ce que je peux faire?" On peut lui suggérer un livre comme celui-ci. Mais surtout ne pas le lui acheter car il y a de fortes chances qu'elle ne le lise jamais car elle peut comprendre que: "Moi qui peux te donner ce conseil, je suis mieux que toi." Elle peut se sentir en position d'infériorité et risquer de se rebeller. Ou encore, lui suggérer un thérapeute, mais toujours en la laissant **libre.** Si elle ne veut rien faire, c'est qu'elle aime son problème pour ce qu'elle en retire. La laisser alors libre, mais sans encourager cette manipulation.

Dans le cas de Jérôme, par exemple, s'il est conscient, il peut dire à Marie qu'il comprend sa souffrance, qu'elle a le droit d'avoir de telles pensées et que si elle veut les mettre à exécution, il respectera son choix car sa vie lui appartient à elle. Il la laisse libre de son choix. Il y a très peu de chances que Marie passe à l'action, et si elle le fait, elle l'aurait fait de toute façon. Ceux ou celles qui veulent vraiment mourir appellent rarement à l'aide, ils sont plutôt du genre à ne rien dire et à s'exécuter.

Que fait un bon thérapeute?

Il amène la personne à conscientiser son besoin d'affection, lui apprend à se libérer de ses blocages émotionnels, à s'aimer et à s'apprécier davantage, par conséquent, à cesser d'attendre le bonheur des autres. Enfin, il la guide sur la route de l'autonomie affective.

LA MALADIE COMME EXCUSE

Combien de personnes ont de la difficulté à s'affirmer, à refuser. Je pense à cette dame qui développait une crise d'urticaire chaque fois qu'elle devait garder ses petits enfants, plutôt que de refuser. Elle se servait de ses crises d'urticaire. Ou encore, ces employés qui n'aiment plus leur travail. Un nombre effarant d'ordonnances d'arrêt de travail sont signées chaque année. On sait qu'un travail qui déplaît oblige à une dépense d'énergie infiniment supérieure.

Nicole et sa tendinite

Nicole vient me consulter pour une tendinite au bras droit. Au début, elle pensait que c'était purement physique, mais après avoir essayé de multiples traitements, pommades, injections et médicaments, elle accepte l'idée qu'il y a peut-être une cause qu'elle ignore. Elle n'a jamais fait le parallèle entre la tendinite dont elle est affectée et son travail. (Nous verrons un peu plus loin ce que représente le bras, en particulier le côté droit.) Nicole n'aime plus son travail, mais il représente sa sécurité. De plus, elle ne sait trop vers quelle direction s'orienter. Cette tendinite lui permet d'être en arrêt de travail et lui laisse le temps de s'adonner à des activités qui lui plaisent, sans être financièrement pénalisée. Le plus étrange, c'est que la journée où elle doit se présenter au cabinet du médecin, son bras est davantage enflé et douloureux. Elle doit accepter l'idée qu'elle paie cher ce congé et chercher une solution à son désir de changement.

Luc et son diabète

Luc est le fils d'un éminent biologiste. Lorsque Luc est enfant, son père se plaît à lui démontrer son haut savoir. Luc se sent tellement inférieur à son père qu'il entreprend des études universi-taires mais sans enthousiasme, car il ne sait pas vraiment ce qu'il désire. C'est alors qu'il développe le diabète. Car s'il ne réussit pas comme son père, on peut toujours penser: "Lui, ce n'est pas de sa faute, il est malade." On peut donc lui pardonner tous ses échecs en les mettant sur le compte de sa maladie. Et Luc en est quitte pour son sentiment d'infériorité. Que doit faire Luc? Cesser de vouloir rivaliser avec son père. Accepter d'être lui-même, dans ses faiblesses et ses forces, prendre conscience que cette excuse, il la paie de sa santé.

Johanne et l'appendicite

Les parents de Johanne s'acharnent à vouloir qu'elle apprenne le violon. Petite fille, la mère de Johanne avait un rêve, celui d'apprendre le violon, mais elle avait dû interrompre ses leçons parce qu'elle avait fait une appendicite et qu'elle avait manqué trop de cours. Ce rêve, elle le reporte sur sa fille. Cependant Johanne n'apprécie pas ses leçons de violon. Chaque fois qu'elle en parle à sa mère, cette dernière insiste pour qu'elle continue. Connaissant la façon dont sa mère a cessé de jouer du violon, Johanne se créera inconsciemment une appendicite. Sur son lit d'hôpital, elle deman-dera à sa mère: "Maintenant, est-ce que je peux cesser d'apprendre le violon?"

Madame Montreuil et la maladie d'Alzheimer

Dans ce cas-ci, ce ne fut pas madame Montreuil qui vint me voir, mais sa fille, Gertrude, qui voulait comprendre pourquoi sa mère vivait cette maladie. Regardons un peu son histoire. Madame Montreuil a six enfants, dont une fille infirme qu'elle a gardé sa vie durant. Arrivée à un âge avancé, elle ne se sent plus la force de prendre soin de sa fille infirme, mais en même temps, elle n'a pas le courage de la placer en institution. Comme elle se sent incapable de demander de l'aide à ses autres enfants, elle développe incon-sciemment cette maladie lui permettant de fuir cette situation douloureuse. Elle a donc l'excuse idéale pour que quelqu'un d'autre s'occupe de sa fille infirme. Nous parlerons un peu plus loin des maladies reliées à la fuite.

65

Comme nous l'avons vu à travers ces exemples, l'Être humain peut développer diverses maladies par besoin de se dérober à une responsabilité qu'il ne veut pas assumer. Aussi est-il capital que la personne prenne conscience que l'excuse n'est pas la solution et qu'elle aurait intérêt à chercher une solution plutôt que de se faire souffrir.

CHAPITRE VI

LES MALADIES RELIÉES À LA CULPABILITÉ

On observe un jeune enfant de trois ans qui vient de renverser la pinte de lait dans le réfrigérateur, ou la plante du salon. Il va de lui-même dans sa chambre et l'on sourit en pensant qu'il se punit lui-même. Ce qu'on ignore, c'est que, très souvent, nous reproduisons ce même comportement une fois adulte, lorsque nous nous sentons coupables.

L'AUTOPUNITION

Nous nous autopunissons par les malaises, les maladies, les incidents, les accidents, les brûlures, les coupures, les pertes, etc.

Prenons un exemple simple pour bien comprendre. Lise reçoit les amis de son conjoint pour le repas du soir, mais elle est en retard: voilà qu'elle se brûle ou qu'elle se coupe au doigt. Pourquoi les doigts? Parce que les doigts représentent les détails du quotidien (nous retrouvons ces significations dans la symbolique du corps). Que se passe-t-il? Elle envoie le message suivant à son subconscient: "Je suis en retard, donc pas correcte.".

Lorsque nous étions enfants, qu'arrivait-il quand nous n'étions pas corrects? On nous punissait. L'équation enregistrée depuis l'enfance est: pas correct égale punition. Donc chaque fois, dans ma vie que je ne me sens pas correct, l'équation se manifeste.

A l'âge de onze ans, j'ai un accident de bicyclette. Que s'est-il passé?

Par un magnifique dimanche d'été, ma soeur aînée se rend à la plage avec une amie. Je demande l'autorisation à ma mère pour les accompagner et elle me répond que je suis trop jeune. Déjà à cet âge, je possède beaucoup de détermination, pour ne pas dire d'entêtement. Je prends donc ma bicyclette en cachette et rejoins ma soeur et son amie. Il fait beau, la vie est belle. A la plage, il commence à pleuvoir et nous décidons de rentrer. Sur le chemin du retour, la chaîne de ma bicyclette se défait et Lucie, l'amie de ma soeur, qui est aussi mon aînée de quatre années, me dit de prendre sa bicyclette et de continuer pendant qu'elle répare la mienne. Dix minutes plus tard, nous roulons à nouveau à la file indienne, ma soeur devant, moi au centre et Lucie à l'arrière. Une voiture file à toute allure, je fais un faux mouvement et la voiture me frappe, me projetant à des mètres plus loin.

Qu'arrivait-il lorsque nous étions enfants et qu'après avoir reçu une punition, nous recommencions? Une autre, beaucoup plus sévère, suivait. J'avais eu ma première punition: la chaîne de ma bicyclette s'était défaite. Le fait de continuer à me sentir coupable m'a donc attiré une punition plus forte. Qu'ai-je eu? Une légère fracture à la tête parce que je me sentais coupable d'avoir fait à ma tête. Une entorse à la cheville droite, car je me sentais coupable d'avoir rejoint ma soeur (les pieds servent à avancer) et une déchirure du muscle de la fesse gauche (j'ai eu peur d'avoir une fessée). Nous verrons plus loin la signification des côtés droit et gauche.

Qu'aurais-je pu faire si j'avais été consciente? Dès l'incident de la chaîne, j'aurais compris ma culpabilité et me serais dit: "D'accord, j'ai compris, j'accepte que j'ai désobéi et je demanderai pardon à maman au retour."

**L'ignorance des lois n'épargne
à personne ses effets.**

Rappelons-nous donc que les accidents sont très souvent reliés aux culpabilités. Je comprends aujourd'hui que l'accident de mon père n'était pas relié à une maladie mentale mais à une profonde culpabilité (il était alcoolique et agressif).

Chaque fois que mon corps est privé de ses besoins essentiels comme manger, dormir, bien fonctionner dans ma vie ou que je ne peux réaliser les désirs qui m'apporteraient de la joie et du bonheur, j'ai intérêt à regarder du côté de la culpabilité.

Huguette et son insomnie

Huguette souffre d'insomnie depuis un an, n'a pratiquement plus d'appétit et fait de l'hypoglycémie. Que s'est-il passé il y a un an? Son mari est parti. Huguette se dit que si Roger est parti, c'est qu'elle n'a pas fait ce qu'il fallait pour le garder et que si ses enfants sont privés de leur père, elle est fautive. Il faut savoir qu'Huguette est l'aînée d'une grande famille et a toujours pris la responsabilité sur elle de ce qui arrivait aux autres. Elle se punit donc en se privant de son énergie.

Yvonne et une insomnie de 35 ans

Yvonne a 70 ans et souffre d'insomnie depuis 35 ans. Que s'est-il donc passé il y a 35 ans? A cette époque, Yvonne a trois enfants, dont un garçon de 10 ans, Éric. Ce dernier a un copain Simon, dont les parents partent à l'étranger pour deux semaines. Comme les deux enfants sont très liés par une belle amitié, les parents de Simon demandent à Yvonne si elle peut garder leur fils pendant leurs vacances. Ce qu'Yvonne accepte avec joie. Pendant ces vacances, les deux garçons vont se baigner au lac à proximité du chalet d'été d'Yvonne. Simon, l'ami d'Éric, se noie. Les parents de Simon n'ont jamais culpabilisé Yvonne, mais celle-ci s'est répété des centaines de fois qu'elle n'aurait pas dû les laisser aller au lac seuls, qu'ils étaient trop jeunes, etc. Yvonne me disait qu'Éric, qui a maintenant 45 ans, est toujours malade (culpabilité qu'il porte aussi).

Louis et sa dépression chronique

Louis vit une dépression chronique depuis trois ans. Il est en thérapie avec médication depuis plus de deux ans. Comme son médecin généraliste constate peu de résultats, il l'oriente vers moi. Que ressort-il à l'entretien? Louis avait un frère qui est décédé il y a un peu plus de trois ans. Il est convaincu qu'il a bien accepté sa mort. A l'enterrement, il n'a pas versé une larme. Mais lorsqu'on plonge au coeur de cette émotion qu'il s'était cachée à lui-même, il éclate en sanglots et dit: "Je ne lui ai pas dit que je l'aimais." D'où cette profonde culpabilité. Il ne lui avait pas dit qu'il l'aimait et maintenant, il est trop tard. Lorsque Louis comprit que les pensées sont des ondes qui se transmettent et que son frère connaissait son amour, il se pardonna et se libéra de sa dépression.

Liliane et son acné

Liliane est l'unique fille d'une famille de trois enfants. Elle en est également la cadette. Les parents de Liliane désiraient du plus profond de leur coeur avoir une fille. Lorsque Liliane vient au monde, non seulement c'est une fille, mais en plus, une vraie beauté. Liliane devient mannequin professionnel. Chaque fois qu'on lui offre un contrat d'importance, Liliane déclenche une crise d'acné au visage qui l'oblige à renoncer à son contrat. Un peu désespérée, elle vient me consulter, car elle vient encore de rater la chance tant attendue: travailler pour une grande maison parisienne. Pourquoi Liliane déclenche-t-elle une crise d'acné chaque fois qu'un contrat important lui est offert? Parce que Liliane s'est toujours sentie coupable, face à ses deux frères, du fait d'être plus choyée, plus admirée. Tant qu'elle n'accepte que des petits contrats, elle ne leur est pas supérieure, mais si elle atteint une renommée, elle sera encore **trop** par rapport à ses frères. Voilà pourquoi, dans sa culpabilité d'avoir trop, elle détruira toutes ses chances de succès. Pourquoi l'acné? C'est avec son visage et son corps qu'elle travaille. Le corps, elle peut toujours le cacher sous des vêtements, mais pas son visage. Après sa prise de conscience, l'acné de Liliane a complètement disparu, elle est partie pour Paris, je ne l'ai jamais revue. Peut-être la reverrais-je dans une revue un jour?

Sylvie fait du psoriasis à la grandeur du corps

Sylvie a des démangeaisons partout sur son corps en partant des pieds jusqu'à la tête. Son visage en est rempli. Elle souffre de psoriasis depuis des années mais cette crise d'importance remonte à un mois. Il y a un mois, sa mère lui a rendu visite et lui a dit combien elle souffrait de voir si peu souvent sa petite fille. Sa mère habite à plus d'une journée de route de chez elle et souhaiterait que sa fille revienne vivre dans son village natal. Sylvie est la deuxième fille de sa famille, elle a une apparence garçonnière, des cheveux courts, pas de maquillage, elle porte de préférence des pantalons (ces observations sont importantes). A la naissance de Sylvie, sa mère ayant déjà une fille souhaitait la venue d'un garçon. Déjà très jeune, Sylvie interprète: "J'ai déçu ma mère." Toute sa vie elle agit pour plaire à son entourage, mais en même temps, en vit de la contrariété (voir le chapitre XII). Chaque fois qu'elle croit avoir déçu quelqu'un qui lui est cher, elle développe une crise de psoriasis qui correspond à sa propre punition. Aussi, lors de la dernière visite de sa mère, elle voit de la tristesse sur son visage, celle-ci lui dit: "Quel dommage, je n'aurai pas la chance de voir grandir ma petite-fille." Sylvie interprète que c'est de **sa faute** parce qu'elle ne veut pas revenir vivre près de chez eux. La crise de psoriasis est plus violente cette fois-ci parce qu'elle est en résonance avec d'autres événements passés où elle s'est sentie coupable d'avoir déçu sa mère.

Dorothée me consulte pour un bourdonnement d'oreilles

Dorothée a 38 ans. Elle est mère d'un petit garçon de 7 ans. Elle me consulte pour un bourdonnement dans les oreilles qui persiste depuis un an. Ses yeux sont proéminents, elle souffre d'un léger goitre, mais ce sont d'abord ses mains qui attirent mon attention puisqu'elles sont d'une couleur rouge-bleuté et qu'elles sont très froides. Dorothée se plaint de plus d'un manque d'énergie persistant, elle fait un peu d'hypoglycémie et souffre d'insomnie chronique. Malgré les examens de laboratoire qu'elle a subis, on n'a jamais pu déceler son hypothyroïdie alors qu'elle m'apparaît évidente. Depuis un an, elle prend un médicament anti-dépresseur, car dans son épuisement, elle a souvent des envies de pleurer, que l'on a confondu avec la dépression. Ses problèmes majeurs sont surtout l'insomnie et l'hypothyroïdie.

D'où cela provient-il? À l'âge de huit ans, les parents de Dorothée ont un pensionnaire qui lui demande de le masturber. Comme elle en a peur, elle se plie à ses désirs. Il lui recommande bien de ne jamais en parler à personne. Dorothée vit de la culpabilité et de la colère contre ses parents qui ne voient rien. Trente ans plus tard, elle n'en a jamais parlé et porte toujours en elle cette culpabilité qui est à l'origine de son insomnie, de ses problèmes relatifs à ses relations sexuelles. Sa rancune envers ce pensionnaire et ses parents qui n'intervenaient pas, était la cause de son hypothyroïdie.

Comment cela se fait-il? Le centre sacré (centre de l'énergie sexuelle) est relié au centre laryngé (centre de la vérité, de la créativité), siège de la thyroïde (voir les centres d'énergie au chapitre XIII). Dorothée avait gardé une profonde culpabilité face à ce secret, ce qui affecta sa thyroïde. En se libérant de sa culpabilité, de ses rancunes, elle libéra son énergie bloquée, retrouva le sommeil, cessa ses anti-dépresseurs et put jouir d'une santé qu'elle n'avait pas connue depuis des années.

Suzanne et une tumeur aux poumons

Suzanne a 5 ans et aime particulièrement sa petite soeur de 2 ans. Cette dernière est atteinte d'une tuberculose pulmonaire et souffre beaucoup. Un jour, une tante infirmière vient s'en occuper et dit à Suzanne d'aller dans sa chambre prier le petit Jésus de venir chercher sa petite soeur. Lorsque Suzanne sort de sa chambre quelques heures plus tard, la tante lui annonce que le petit Jésus a exécuté sa demande et que la petite soeur est décédée. Suzanne se croit donc responsable de la mort de sa petite soeur et elle se dit que si elle n'avait pas fait cette demande, sa petite soeur vivrait encore. Cette profonde culpabilité lui cause une tumeur aux poumons (choc émotionnel ressentit à l'annonce du décès de sa petite soeur, alimenté par sa culpabilité).

J'ai reçu tant de cas reliés à la culpabilité que j'en aurais de quoi écrire un volume uniquement sur ce type de maladies. J'ai cependant tenté de ressortir quelques cas assez fréquemment entendus afin de t'aider à te connaître, toi, qui lis ces lignes. Il est impressionnant de voir la rapidité des résultats lorsqu'on prend conscience de nos maladies. Comment les identifier? Je pourrais me poser la question: "Me serais-je déjà sentie coupable ou responsable de la souffrance d'une autre personne, à un certain moment dans ma vie?" Cela peut remonter jusqu'à la naissance ou même encore, avant la naissance.

Comme on peut le voir, les maladies de la culpabilité peuvent donner diverses manifestations. Voyons quelques autres cas.

Michel et son problème auditif

Michel a quarante ans, il est marié et père de deux enfants. Sa mère est devenue sourde après sa naissance. Michel interprète que c'est à cause de lui si sa mère est devenue sourde. Il a de plus entendu dire, à l'adolescence, que la masturbation peut rendre sourd. Chaque fois qu'il se masturbe, il craint de devenir sourd et va jusqu'à vérifier sa qualité d'audition après action.

Marié depuis déjà douze ans avec Viviane, il a une vie sexuelle des plus satisfaisantes. Il ne peut pourtant pas s'expliquer pourquoi il continue à se masturber. Inconsciemment, Michel cherche à se rendre sourd, par la culpabilité qu'il porte en lui, bien que consciemment, il fera tout pour guérir de son problème auditif.

Georges et ses multiples maladies

Georges est médecin, homéopathe et naturopathe, il a fait de l'acupuncture et bien d'autres choses encore. Georges, à 57 ans, se promène toujours avec un petit flacon de médicaments, car il a des problèmes cardiaques, pulmonaires, digestifs et autres. C'est d'ailleurs pour cela qu'il s'est intéressé à tant de médecines, voulant se "guérir lui-même". Pourquoi Georges a-t-il tant de problèmes de santé? Georges est le dixième ou onzième d'une famille, l'histoire ne le dit pas car il est jumeau. A la naissance de ces jumeaux, la mère décède. Georges interprète: "Je suis responsable de la mort de ma mère. Si je n'étais pas né, elle ne serait pas morte. Je ne mérite donc pas de vivre." C'est ainsi que toute sa vie il "survit", car il a décidé qu'il ne mérite pas de vivre.

Françoise a des problèmes menstruels

La mère de Françoise a deux filles lorsqu'elle devient enceinte de Françoise et elle désire ardemment un garçon. Lorsque Françoise naît, c'est la déception. Françoise interprète: "J'ai déçu ma mère" et rejette complètement sa féminité. Elle envie les garçons en se disant combien elle préférerait en être un. Elle trouve les autres filles "mémères" et agit davantage avec son aspect masculin (ou Yang). Comme elle rejette sa féminité, elle rejette également ce qui est exclusif à l'élément féminin: les menstruations. Nous venons de voir que les culpabilités peuvent remonter aussi loin qu'à la naissance ou même à l'état foetal.

Lorsque je peux identifier d'où vient ma culpabilité, je vois que tout est lié à mon interprétation. Il me faut donc changer l'interprétation que j'ai faite de l'événement. Comme dans le dernier cas, je peux réinterpréter l'événement en me disant que ma mère aurait préféré un garçon, que c'est son attente qui a été déçue et non moi qui l'ai déçue.

Il me faut donc voir que je ne suis en rien responsable de ce qui est arrivé aux autres, à moins que je ne l'aie fait volontairement. Je change donc mon interprétation et préviens mon subconscient que j'accepte désormais d'avoir toujours agi au meilleur de ma connaissance. Aussi, puis-je m'en libérer. Si j'ai agi volontairement pour faire du mal à quelqu'un d'autre, je lui demanderai pardon et je me pardonnerai également pour cette pensée ou cet agissement.

Huguette et une maigreur chronique

Huguette est affectée d'une maigreur chronique depuis son enfance. Complexée à l'extrême, elle essaie tout ce qui existe sur le marché pour tenter d'engraisser. Aucun résultat. Elle choisit la consultation d'où il ressort qu'à un an, la mère d'Huguette se sépare de son père dans des conditions dramatiques. Elle garde Huguette auprès d'elle, retourne chez ses parents et laisse ses trois autres enfants à la garde du père. La grand-mère d'Huguette l'adore. Sa mère lui donne le trop plein d'amour qu'elle ne peut donner à ses autres enfants. Lorsqu'Huguette a 3 ans, sa mère fait des démarches pour reprendre ses trois autres enfants. C'est ainsi qu'Huguette prend conscience qu'elle a une soeur qui n'a qu'un an de plus qu'elle et qui est placée dans une crèche. Lorsqu'Huguette lui rend visite avec sa mère, Huguette a l'air d'une princesse comparée à sa soeur. Elle pense que ce n'est pas juste qu'elle ait tout et que sa soeur n'ait rien. C'est suite à cela qu'Huguette commence à maigrir, car à cet âge, être potelé était signe de beauté. Inconsciemment, Huguette détruit sa beauté afin de ne pas être mieux que sa soeur et c'est ce qu'elle fera également dans tous les domaines de sa vie jusqu'à ce qu'elle en prenne conscience et cesse de s'autopunir.

La maigreur est souvent reliée à de la culpabilité, à de profondes rancunes ou à de la haine qui nous gruge intérieurement.

Voici un dernier exemple non relié à la maladie.

Marc était condamné à vie...

J'ai vécu un jour une très belle expérience en milieu de détention où je donnais un atelier de 21 heures en trois journées intensives. Le groupe se composait de dix hommes condamnés à la prison à vie. Marc faisait partie de ce groupe. Il est intéressant de constater que tous, sans exception, se retrouvaient dans ce milieu par culpabilité. Voyons donc le cas de Marc. À la naissance de Marc, sa mère a beaucoup souffert. Le père de Marc a parfois des gestes violents à l'égard de sa femme et Marc ne peut supporter qu'on lui fasse du mal, car cela lui rappelle sa propre culpabilité (celle d'avoir fait souffrir sa mère par sa naissance). Il développe donc une haine envers son père. Lui-même, quoi qu'il fasse, a toujours eu le sentiment de faire de la peine à sa mère, et, sans pouvoir se l'expliquer, le fait malgré lui. Il prend de l'alcool, de la drogue, et plus il s'y plonge, plus il se sent coupable. "Je fais souffrir ma mère." Un jour, dans un bar, un homme (qui lui rappelle son père), violente une femme. Sans réfléchir, Marc tue cet homme comme il aurait voulu tuer son père et comme il voulait se tuer pour avoir fait souffrir sa mère. Ce jour-là est aussi celui de l'anniversaire de sa mère. Après son geste, il se dit: "Un maudit beau cadeau pour ma mère." Lorsqu'il comprend et accepte que cela faisait partie de ce que sa mère avait à vivre, qu'il n'en était nullement responsable, il se libère de cette profonde culpabilité qu'il portait en lui. Peu après, voilà ce qu'il m'écrit: "C'est comme si je m'étais libéré d'un fardeau de 100 tonnes que je portais. Aujourd'hui, je sais que je ne suis plus en prison, mais en attente d'une libération, car la véritable prison était en moi."

On peut voir que la culpabilité n'apporte pas seulement des malaises, maladies, accidents ou pertes, mais qu'elle peut même conduire en prison.

CHAPITRE VII

LES MALADIES RELIÉES À LA COMPULSION

La compulsion consiste à satisfaire l'un de nos besoins, et ce, sans retenue. La personne sujette à la compulsion ne peut se maîtriser face à ses désirs. Parmi les maladies de compulsion les plus fréquentes, nous rencontrons la boulimie, l'obésité, l'épuisement professionnel (burn out), l'alcoolisme et la dépression. On peut compulser dans la nourriture, l'alcool, le café, le travail, le magasinage, le jeu (cartes, échecs, courses, etc.), la télévision, la sexualité, et bien d'autres activités encore. Qu'est-ce qui amène une personne à agir par compulsion? C'est presque toujours à cause d'un grand **vide** intérieur que vit la personne, lequel peut provenir d'une non-acceptation de soi ou d'une situation, d'un sentiment d'isolement, d'une séparation, ou encore, du fait de se sentir différent des autres.

Prenons le cas de la boulimie où la personne avale tout ce qui lui tombe sous la main, sans aucune sélection, et qui, par crainte de grossir ou par culpabilité, se fait vomir.

Louise est boulimique

Louise, 26 ans, souffre de boulimie depuis l'âge de 20 ans, moment où sa mère décède. La mère de Louise commence à présenter des problèmes cardio-vasculaires après la naissance de son premier enfant et les problèmes s'accentuent à la naissance du second, soit Louise. Très jeune, Louise entend dire que sa mère n'était pas faite pour avoir des enfants. Louise ne peut donc s'accepter et accepter sa vie, car elle interprète justement que c'est parce qu'elle lui a donné la vie que sa mère souffre. Au décès de sa mère, elle se sent même soulagée, parce qu'au moins elle ne la voit plus souffrir. Mais cela accentue le rejet d'elle-même et de sa vie et ne fait que creuser davantage le vide intérieur qu'elle tente de remplir par la nourriture. Ici, il y a également culpabilité, car une des peurs de Louise, c'est de grossir. Elle fait donc tout pour se faire grossir, un peu comme si elle pouvait taper sur elle-même, comme on taperait une poupée en lui disant: "Bien fait pour toi vilaine poupée."

Comment Louise s'en est-elle sortie? En acceptant qu'elle n'est pas responsable de la mort de sa mère, car bien au contraire, elle lui a donné le goût de vivre plus longtemps, puisque cette dernière attendait la fin des études de Louise pour partir. Louise a également appris à s'accepter et à s'apprécier graduellement, à trouver un but, un idéal à sa vie. Il lui a aussi fallu sortir de son isolement, se faire des amis, relever un défi pour combler le vide que lui avait laissé sa mère.

L'OBÉSITÉ

L'obésité peut-être classée parmi les maladies de compulsion mais pas uniquement, car il y a beaucoup d'obèses qui mangent très peu. Avant d'amorcer la compulsion chez l'obèse, voyons les principales causes de l'obésité:

LES PROGRAMMATIONS À RÉPÉTITION

- "J'ai tendance à engraisser.";

- "J'engraisse à l'eau claire.";

- "Je regarde une pointe de tarte et je prends deux kilos. Je suis comme ma mère, c'est de famille d'être obèse."; ou encore

- "C'est notre obsédé des calories qui les compte et les voit partout.".

LE BESOIN DE PROTECTION

L'obésité peut être utilisée comme moyen de protection. En voici quelques exemples:

Ginette a commencé à grossir à l'âge de 14 ans

Déjà, à l'âge de 13 ans, Ginette a un corps de femme très attirant, peut-être trop, pour ses frères ou son père qui s'adonnent à des touchers qui révoltent Ginette. Elle pense: "Si je peux devenir

78

assez grosse, je ne leur plairai plus et ils me laisseront tranquille."

Monique ne veut pas être vue comme un symbole sexuel

Monique est une très jolie femme, qui veut être aimée pour elle-même et non pour son corps. Lorsque Monique marche dans la rue, on siffle sur son passage, ce qui l'horripile. Aussi, se laissera-t-elle grossir jusqu'à ce qu'on cesse de la siffler. Elle me raconte qu'elle s'étonnait qu'à 80 kilos on la sifflait encore. C'est lorsqu'elle atteint les 90 kilos que les sifflements cessent; son poids se stabilisera à 90 kilos.

Madeleine se protège de l'amour

Madeleine a vécu deux profondes déceptions affectives, dont la dernière fut causée par son mari, le père de ses deux enfants. Elle ne veut plus rien savoir des hommes et se protège de ses propres désirs d'attachement. Elle se dit qu'en devenant très grosse, aucun homme ne s'intéressera à elle. Ainsi, elle dépassera les 100 kg pour se protéger d'une relation affective qui pourrait lui amener à nouveau de la souffrance.

LE BESOIN DE PRENDRE SA PLACE

Mario, l'oublié

Mario est le deuxième fils de la famille. Son père s'occupe davantage de son frère, l'amenant partout avec lui, lui enseignant son métier. On dit avec humour que Luc, le premier, est le fils à son père et que Mario, qui ressemble à sa mère, est le fils à sa mère. Mais Mario, lui, désire être avec son père, apprendre ce qu'il enseigne à son frère. Comme il a le sentiment de ne pas exister pour ce dernier, inconsciemment, il prendra de l'espace avec son corps, comme si physiquement il voulait dire à son père **qu'il existe**, "Ne suis-je pas assez gros pour que tu me vois?"

Les personnes qui ont tendance à s'oublier pour les autres dans le but d'être aimées ont souvent l'impression de ne pas avoir de place puisqu'elles laissent toute la place aux autres. Ainsi, c'est très souvent par la masse de leur corps qu'elles traduiront ce besoin d'espace.

Jeannette veut être aimée

Jeannette est obèse. Ce qui est fascinant, c'est d'observer qu'elle maigrit lorsqu'elle est enceinte. Son médecin met cela sur le compte de son métabolisme, mais si nous y regardons de plus près, on se rend compte que Jeannette n'a jamais pris sa place. Premier enfant de sa famille, elle se croit obligée d'être au service de celle-ci. Elle s'occupe de tout le monde, à l'exception d'elle-même... sauf lorsqu'elle est enceinte. Par souci de protection pour l'enfant qu'elle porte, elle pense à elle, revendique ses besoins, laisse les problèmes aux autres. Elle passe au premier plan plutôt que le contraire, comme elle le fait habituellement. Elle a donc besoin de moins d'espace physique puisqu'elle prend sa place. Ses grossesses terminées, elle reprend l'habitude de s'oublier et regagne son poids.

LE BESOIN D'IDENTIFICATION OU DE REJET

L'obésité peut aussi provenir du désir de ressembler à une personne qu'on admirait et qui était obèse, ou encore, du rejet d'une personne qui était obèse, par exemple, sa propre mère.

On devient souvent comme la personne que l'on n'a pas acceptée ou que l'on a rejetée.

LE SENTIMENT D'ABANDON

L'obésité par compulsion naît surtout du sentiment d'abandon qui crée un vide que la personne tente de remplir par la nourriture. On rencontre très souvent cette forme d'obésité dans le cas d'enfants séparés très tôt de leur mère après la naissance, dans les cas de prématurés, d'adoption ou encore lorsque l'enfant est confié trop jeune à une autre personne ou à une garderie.

Jean-Marc a 18 ans et est obèse

Jean-Marc souffre d'obésité depuis son enfance. Séparé de sa mère naturelle à la naissance, il vit à plusieurs reprises cette forme d'abandon. À l'âge de 2 ans, il est choisi par un couple sans enfants. Les autorités de l'orphelinat, dans le but d'aider Jean-Marc à s'adapter à sa nouvelle famille, le confie à ce couple une journée par semaine. Mais, à chaque retour à l'orphelinat, Jean-Marc vit un nouvel abandon. Puis, ils l'adoptent car ils l'aiment comme leur propre enfant. Bien qu'ayant de merveilleux parents, Jean-Marc ressent un vide qu'inconsciemment il remplit par la nourriture. Il entreprend alors régime sur régime, sans succès. Le vide est au fond de lui et c'est par là qu'il doit le remplir en retournant à la cause du vide. Son vide provient du fait qu'il a interprété qu'on ne voulait pas de lui. Mais, en fait, on a toujours voulu de lui. Si sa mère naturelle l'a confié à l'orphelinat, c'est qu'elle croyait qu'il aurait davantage de chances d'être heureux qu'avec elle. Quand Jean-Marc a pardonné à sa mère, en comprenant que c'est par amour qu'elle l'avait offert à de futurs parents qui l'aimeraient tout autant qu'elle, il s'est libéré de ce **poids** supplémentaire qu'il portait depuis des années.

LE SENTIMENT DE CULPABILITÉ

Enfin, l'obésité peut provenir d'une culpabilité.

Maryse est obèse et perd ses cheveux

Maryse a trois soeurs. Elle est la préférée de son père. Il parle d'elle comme de sa belle poupée. Mais ses soeurs la jalousent, ainsi se sent-elle coupable d'être jolie, d'avoir de magnifiques cheveux châtains avec des mèches blondes naturelles. Elle me dit dans une thérapie: "Je suis maintenant grosse, je n'ai pratiquement plus un poil sur la tête et ma foi, elles me jalousent encore." Ce que Maryse n'avait pas compris, c'est que la jalousie, au fond, n'est rien d'autre que de l'admiration. Serions-nous jaloux de quelqu'un que l'on considère moins bien que nous? Et on admire ceux qu'on aime. Lorsque Maryse a compris cela, elle a cessé de se faire du mal, elle a maigri et ses cheveux ont repoussé.

Comme on a pu le constater, l'obésité peut avoir plusieurs causes et chaque cas est unique. Cependant, les cas présentés ici ont pour but d'aider les lecteurs à se reconnaître, à éveiller leur conscience et à se libérer de ces programmations, ces besoins de protections et de compulsion, afin de vivre davantage en harmonie.

LA MALADIE DE L'ÉPUISEMENT PROFESSIONNEL OU LE "BURN-OUT"

Qu'est-ce que le "burn-out"? Le "burn-out" est un épuisement physique total qui entraîne des répercussions sur le mental. Il peut être aussi une maladie liée à la compulsion, mais pas toujours, comme nous le verrons. On peut vivre de petits "burn-out", alors là on dira: "Je suis vidé." Mais si ce sentiment de vide persiste, c'est le véritable "burn-out" où la personne a le sentiment de se traîner, de n'avoir plus aucune énergie. Voyons le cas de Pierre qui nous aidera à comprendre.

Pierre dormait 23 heures par jour

Pierre est l'unique enfant de sa famille et son père a des problèmes d'alcoolisme. Dans le but de le protéger, il est placé, dès sa naissance, chez une tante âgée. Très tôt, l'attente commence pour lui. Il attend ses parents qui ne le prennent pas toujours la fin de semaine. Il vit un grand vide: pas d'enfants de son âge et des parents qu'il ne voit que la fin de semaine. Pierre grandit ainsi avec ce manque. Puis il rencontre Nicole qu'il aime profondément. Ils vivent ensemble six mois, puis, Nicole développe une sclérose en plaques très sévère qui l'immobilise complètement. À nouveau, Pierre se retrouve seul. C'est dans le travail qu'il tente de remplir son grand vide. Puis, un été, il partage un chalet avec des amis qui représentent les frères qu'il aurait voulu avoir, c'est enfin la joie d'être entouré. Lorsqu'il rentre seul chez lui, en septembre, il commence un "burn-out" qui l'amène à dormir 23 heures par jour. Pierre n'a plus la force de lutter contre sa situation de vide et s'écrase pour ne se relever que trois mois plus tard. Lorsqu'il en prend conscience, qu'il pardonne à son père d'avoir été séparé de ses parents à cause de son alcoolisme, qu'il apprend à s'apprécier, à se valoriser, il se libère de son "burn-out". Cela ne lui a demandé que quelques mois.

Lucie et sa soeur, Carole

Lucie est particulièrement brillante, très douée, toujours première de classe. Elle excelle à peu près dans tout, contrairement à Carole qui, elle, doit fournir beaucoup plus d'efforts pour arriver à des résultats moindres. On surnomme Lucie "la bol" et Carole pense ainsi que ses parents sont davantage fiers de Lucie. Pour Carole, fierté égale amour. Lucie se dirige avec facilité vers la médecine, Carole va vers l'administration. Mais, encore une fois, un médecin n'est-il pas placé davantage sur un piédestal qu'une administratrice? Aussi Carole démarre-t-elle une entreprise dans le but de montrer à ses parents ce qu'elle peut aussi faire. Elle y travaille sans relâche, même épuisée, jusqu'à ce qu'elle soit foudroyée par un "burn-out". Que s'est-il passé? Carole ne s'est jamais acceptée. Elle aurait voulu être sa soeur, mais dans tout cela, c'était surtout l'amour et la fierté de ses parents qu'elle recherchait parce qu'elle n'avait pas compris qu'ils l'aimaient. Quand elle comprend cela, elle cesse de vouloir "prouver" ce qu'elle est, et accepte qu'elle a des qualités différentes de sa soeur, mais toutes aussi importantes.

Donc, en résumé, on voit que le "burn-out", comme d'autres maladies de compulsion, résulte très souvent d'un grand vide intérieur qui provient d'une non-acceptation de soi ou d'une situation. Il se peut aussi qu'on ait l'impression de se battre contre quelque chose d'impossible, comme si on voulait déplacer une montagne avec une petite pelle et qu'on finirait par se dire: "A quoi bon, je n'y arriverai jamais." Cette lutte, on peut la retrouver dans une situation de couple, dans son travail, avec un parent ou un enfant, etc.

L'ALCOOLISME ET LES DROGUES

Tout comme la boulimie, l'alcoolisme consiste à remplir un grand vide intérieur. **Vide affectif, sentiment d'impuissance, désir de résister aux autres.** Voilà autant de raisons qui portent à boire. On boit pour oublier, pour fuir sa réalité, son sentiment d'isolement, de solitude, pour se donner du courage, pour se sentir fort et audacieux ou encore pour résister à une ou des personnes qui ont autorité sur nous. Notre père nous interdisait de boire; chaque fois que l'on porte un verre à ses lèvres, c'est comme si on disait: "Voilà, mon cher père, pour ton autorité." On peut boire pour que cela dérange le conjoint... Excellente façon d'avoir du pouvoir sur celui-ci. On peut boire aussi pour se créer un monde euphorique (fuite de sa réalité où l'on se sent seul, différent, impuissant, incompris). Le fait de s'enivrer ou d'utiliser des drogues crée un état transitoire d'exaltation où le monde extérieur disparaît et, avec lui, le sentiment d'en être séparé. Mais, lorsque l'expérience se termine, la personne qui boit ou se drogue se sent encore plus séparée, si bien qu'elle est poussée à y recourir avec une fréquence et une intensité croissantes.

Jean-Pierre était alcoolique

Jean-Pierre est confié à l'orphelinat dès la naissance. N'étant pas adopté, il passe les premières années de sa vie à la crèche. Révolté contre sa situation d'abandon, il est ce qu'on peut appeler un enfant difficile. Cette révolte provient de sa grande sensibilité blessée et elle s'exprime par des explosions d'agressivité. Dans les différentes maisons d'éducation que fréquente Jean-Pierre, de même que dans les foyers d'accueil où il réside temporairement, il rencontre de l'hostilité.

Marqué par ce profond **manque** affectif et son sentiment d'impuissance et d'isolement, il découvre l'alcool qui remplit son vide, lui procurant à la fois un sentiment de force et de mépris envers tous ceux qui ne l'ont pas compris ou ne le comprennent pas. Puis, viennent les drogues jusqu'au jour où, n'en pouvant plus, il s'écrase et s'écrie: "Mon Dieu, aide-moi." Pour la première fois, il ose demander honnêtement (envers lui-même) qu'on l'aide et il s'y abandonne (car on sait que l'alcoolique est souvent un grand orgueilleux). Par le passé, il avait consulté différents psychologues ou thérapeutes et très souvent, il était celui qui dirigeait la thérapie, mais cette fois, il n'en peut plus. Aussi, après avoir tant de fois essayé de s'aider, accepte-t-il que quelqu'un d'autre puisse l'aider. Il se rend donc à l'un de ces mouvements qui s'adressent à ce genre de difficultés. Là, il peut exprimer ce qu'il ressent, il se sent aidé et supporté dans la souffrance profonde qu'il porte. Il admet sa situation en disant: "Je suis un alcoolique." Il franchit la première étape.

La première étape, c'est le radeau de sauvetage qui aide à atteindre le rivage. S'il demeure à cette étape, il continuera à ressentir ce grand vide qu'il remplira cette fois-ci de café, cigarettes, jeux, sexe, etc. (La cigarette est très souvent un voile de protection dont on s'enveloppe. On se cache derrière son nuage de fumée et inconsciemment, on retourne à nos premières tétées qui signifiaient affection, chaleur, sécurité.)

Il y a danger pour une personne qui ne boit plus de s'identifier à la phrase: "Je suis un alcoolique" car le cerveau l'enregistre et le subconscient fait avoir à cette personne des comportements d'alcoolique même si elle ne boit plus depuis des années. Parmi ces comportements, nous retrouvons d'autres dépendances: café, cigarettes, sexe, ainsi que des comportements agressifs suivis de regrets.

Sa deuxième étape consiste à quitter son radeau pour marcher parmi les autres êtres humains sur la terre ferme. Pour ce faire, Jean-Pierre a dû pardonner à sa mère de l'avoir confié à l'orphelinat; pardonner à ceux qui, par ignorance, l'ont fait souffrir; développer sa confiance en lui et envers les autres; apprendre à demander et à recevoir; maîtriser ses émotions, en particulier, ses explosions d'agressivité et accepter qu'il a le droit d'être différent, qu'il est aimé tel qu'il est et qu'il fait partie de l'ensemble, du tout.

Cela ne se réalisa pas du jour au lendemain. Pour lui, ce fut comme apprendre une nouvelle façon de vivre, de penser et d'agir. Ce qui l'aide beaucoup, c'est le support qu'il apporte à ceux qui ont à franchir les mêmes étapes que lui. De cette façon, cela lui permet de faire un pas de plus et surtout de ne pas s'apitoyer sur sa personne. Aujourd'hui, cependant, Jean-Pierre ne dit plus: "Je suis un alcoolique.", mais accepte cette expérience de son passé et dit: **"J'ai vécu l'alcoolisme."**

EN RÉSUMÉ

Pour se libérer d'une maladie de compulsion, il faut prendre conscience de son vide intérieur, en trouver la source et ne pas tenter de le remplir par l'extérieur. Il faut développer l'estime de soi, prendre la place qui nous revient en apprenant à s'affirmer, accepter que tous les Êtres humains sont différents au lieu de penser "Je ne suis pas comme les autres." Apprendre à être bien seul, avec soi, pour être bien avec les autres. Apprécier ce que l'on possède au lieu de penser à ce qui nous manque. Faire face à ses difficultés plutôt que de les fuir. Aller au devant de nos désirs plutôt que d'attendre que les autres y répondent. Savourer chaque instant de la vie pour ce qu'elle nous apporte.

CHAPITRE VIII

LES MALADIES RELIÉES À L'EMPRISE

Les maladies reliées à l'emprise proviennent d'une limitation de notre espace que nous avons laissé envahir par les autres ou que nous nous imposons pour plaire aux autres ou pour être aimé. Elles ont un point commun: les personnes qui en souffrent ont le sentiment d'être étouffées, limitées ou restreintes dans leurs propres désirs. Le corps réagit par un besoin d'air, d'espace et de liberté. Très souvent, les personnes qui vivent des maladies reliées à l'emprise s'étouffent ou se limitent elles-mêmes en voulant répondre aux désirs de leur entourage, plus particulièrement ceux ou celles dont elles désirent être aimées. Ce sera souvent le père, la mère, le conjoint, les enfants ou encore les amis. Ce désir de répondre aux attentes des autres est souvent en contradiction avec leurs propres désirs. Cela leur demande tant d'énergie que, n'en pouvant plus, elles développent des maladies du genre: **dépression, angoisse, oedème ou enflure, obésité, asthme, schizophrénie ou encore toute autre maladie reliée à la fuite ou à l'autodestruction**, comme nous le verrons dans les prochains chapitres.

Marie-Andrée vit une dépression

Marie-Andrée est séparée. Elle a deux adolescents du genre "tyrannique". Elle travaille et subvient aux besoins de la famille. Ses adolescents, âgés de 17 et 19 ans, sont aux études. La fin de semaine, ils prennent sa voiture, prétextant qu'elle a passé l'âge de sortir. Ils lui interdisent même de recevoir un homme à la maison. Sa vie se passe dans l'oubli total de sa personne. Comme l'amour de ses enfants lui est indispensable, elle les laisse la manipuler et abuser de sa bonté. Jusqu'au jour où, profondément malheureuse, elle devient dépressive. Quelle force il lui a fallu pour venir en thérapie; ses enfants lui disant qu'elle n'avait pas besoin de cela. Puis vinrent les menaces. Cette thérapie mettait en danger leur petit monde de tyrans. Et en effet, ce fut le résultat de la thérapie. Marie-

Andrée a repris sa place et a remis ses adolescents à leur place. Elle s'est libérée de sa dépression et, aujourd'hui, dispose de sa voiture chaque fois qu'elle en a besoin et reçoit qui lui plaît et quand cela lui plaît, sans pour autant négliger ses enfants.

Sergio vit de l'angoisse

Sergio habite au-dessus de ses beaux-parents et travaille pour son oncle. Sa belle-mère est continuellement chez lui à dire à sa fille comment agir envers ses enfants et son mari. Sergio veut-il déménager ou changer d'emploi, il se butte à sa belle-mère via sa femme. Elles sont toutes les deux de connivence pour l'empêcher de bouger. Au travail, c'est à son oncle qu'il veut plaire. Lorsqu'il vient me consulter, il est atteint d'angoisse à tel point qu'il a l'impression de manquer d'air et doit quitter son travail; cette situation devenant de plus en plus étouffante pour lui. Seule solution: reprendre sa place, mais ce n'est pas facile, car Sergio est italien et l'on connaît l'attachement familial des Italiens. La dernière fois que je l'ai vu, il songeait à un nouvel emploi et cette seule perspective l'aidait déjà beaucoup.

Marie-Hélène fait de l'oedème

Marie-Hélène est comptable. D'esprit indépendant, elle a appris à ne compter que sur elle-même. Son bureau de comptables est ouvert depuis déjà un an lorsqu'elle rencontre Marc, un jeune graphiste qui travaille à contrat. Au bout de quelques mois, Marc s'installe chez elle et y prend tous ses aises. C'est Marie-Hélène qui paie le loyer, l'électricité et le plus souvent, la facture d'épicerie. Quant à Marc, il paie sa voiture et lorsqu'il est payé pour un contrat, fête avec ses amis pendant que Marie-Hélène travaille. De son côté, Marie-Hélène a aussi sa mère qui lui demande comment l'entreprise va. Marie-Hélène voudrait bien lui répondre que cela va très bien, qu'elle rapporte beaucoup, mais ce n'est pas le cas. Plus le temps passe, plus l'oedème augmente, mais il est surtout plus important au niveau de ses jambes, ses fesses et son ventre.

En thérapie, il ressort qu'elle n'a jamais vraiment voulu ce grand bureau de comptables. Elle l'a fait pour plaire aux attentes de sa mère. Quant à Marc, elle fait le bilan de ce qu'il lui apporte: un peu de tendresse quand il en a envie et une présence, car Marie-Hélène appréhende la solitude. Mais, lorsqu'elle regarde le prix qu'elle paie pour ces deux avantages, elle réalise que Marc est un poids pour elle, ce que son corps traduit par de la rétention d'eau.

Angèle se sent responsable de sa mère

Angèle souffre d'obésité depuis des années. Elle a un père alcoolique, qui mène la vie dure à sa mère. Angèle n'est pas la seule enfant de la famille, mais elle souffre terriblement de la dureté de son père envers sa mère. Elle raconte qu'enfant, elle se mettait l'oreiller sur la tête pour ne pas l'entendre se quereller avec sa mère qui pleurait. Aussi, quand tous les autres quittent le foyer, Angèle se sent responsable du bonheur de sa mère. Elle la sort, lui offre ce qui peut lui apporter un peu de bonheur en oubliant complètement sa propre vie qui passe. Elle va jusqu'à acheter une maison à sa mère. Puis le père suit une cure de désintoxication et finit par renoncer à l'alcool. C'est à ce moment qu'elle commence à penser à elle et à prendre sa place. Elle maigrira sans aucun régime. Voir le chapitre VII.

Lorsque l'on ne prend

pas sa place psychiquement, c'est notre corps

qui la prend physiquement.

Jonathan souffre d'asthme

Jonathan est fils unique. Sa mère a fait trois fausses-couches avant sa naissance, ainsi vit-elle dans la peur de le perdre. Son amour possessif à l'extrême étouffe Jonathan qui le manifeste par des crises d'asthme: "Laisse-moi respirer! J'étouffe dans ton amour!"

L'inverse peut également se produire: un enfant ne se sentant pas suffisamment aimé ou entouré peut déclencher des crises d'asthme pour qu'on s'occupe de lui (voir le chapitre V).

Louis-Philippe est énurétique (mouille son lit)

Louis-Philippe partage sa chambre avec son frère Patrick. Louis-Philippe est du genre ordonné, alors que Patrick est du genre à tout laisser traîner. Louis-Philippe se sent envahi par son frère, il le manifeste plusieurs fois à sa mère qui lui promet que, plus tard, ils déménageront et qu'il aura sa chambre. Entre temps, Louis-Philippe mouille son lit. C'est sa façon de manifester inconsciemment son besoin d'espace. Quand on aménage une petite chambre à Louis-Philippe en déplaçant la salle de couture, Louis-Philippe cesse d'être énurétique.

La **schizophrénie** est souvent le résultat de comportements familiaux étouffants. Le membre le plus faible en sera souvent la victime. Une dame vint me consulter parce que son fils unique était schizophrène. Elle le traitait encore à l'âge de 34 ans comme un enfant de 2 ans. Elle proclamait à qui voulait bien l'entendre les difficultés de son fils avec les autorités médicales, en particulier la psychiatrie. Cette femme, délaissée par son mari, s'était complètement consacrée à cet enfant, l'étouffant de son omniprésence. Aujourd'hui, elle allait jusqu'à chercher de l'attention avec la maladie de son fils. Quant à son fils, il n'avait pu développer aucune forme d'autonomie, ce qui l'avait amené à devenir totalement dépendant de sa mère et des autres personnes recommandées par sa mère. Sur l'instance de sa mère, j'acceptai de le recevoir, mais il ne voulait en aucun cas sortir de cet état de dépendance qui représentait toute sa sécurité et même sa survie.

Que peut-on faire pour s'en sortir?

• D'abord, en prendre conscience;

• récupérer son espace en ne sous-estimant ni ses droits, ni ses besoins, ni ses désirs;

• accepter que Dieu vit en chacun de nous, y compris dans celui ou celle que l'on veut sauver;

• ne pas répondre aux attentes des autres;

• apprendre à s'accepter totalement, à s'apprécier davantage tout en se considérant aussi important que les autres.

L'affirmation suivante a aidé beaucoup de personnes:

Je suis une personne extraordinaire et aussi importante que les autres. Je réalise que je peux beaucoup et que les autres m'apprécient beaucoup. Je cesse d'agir en fonction des autres.

CHAPITRE IX

LES MALADIES RELIÉES À LA FUITE

Dans ces maladies, il y a un désir de fuir une situation qui nous irrite, nous fait peur ou nous fait mal. Il y a un désir de se rendre insensible, on s'étourdit ou on s'engourdit. On se replie sur soi, on se ferme à son entourage par colère ou désespoir. C'est un refus d'affronter les difficultés de sa vie.

Parmi les malaises et maladies reliés à la fuite, nous retrouvons principalement: engourdissements, étourdissements, évanouissements, paralysie - poliomyélite, amnésie, coma, narcolepsie ou maladie du sommeil, sénilité, maladie d'Alzheimer, autisme, épilepsie, dépendance de drogues, alcoolisme, épuisement professionnel (burn out) (Voir le chapitre VII).

Voyons quelques cas:

Marc avait les bras engourdis la nuit

Marc vit en communauté et souffre d'engourdissements aux bras. Ils se produisent surtout la nuit. Les bras servant à prendre, Marc désire se rendre insensible à son désir de tenir quelqu'un dans ses bras puisqu'il a renoncé à sa sexualité.

Une autre femme me racontait qu'elle vivait un problème similaire. Pour elle, c'était son fils, devenu un homme, qu'elle aurait voulu prendre dans ses bras mais se retenait.

Il est important de voir où sont localisés les engourdissements. Pour ce faire, on se référera à la symbolique du corps. Par exemple, si les engourdissements sont au **niveau des mains**: les mains servent à exécuter et elles concernent surtout le travail. **Y aurait-il quelque chose dont je veuille me rendre insensible à mon travail?**

Localisés au **niveau des jambes**, en sachant que les jambes servent à avancer, on pourrait se demander si on ne désire pas se rendre insensible à son désir d'avancer ou de faire autre chose?

Louisette et ses étourdissements

Chaque fois que le mari de Louisette lui dit des choses, cela lui crée des émotions et elle ressent des étourdissements. C'est comme si elle préférait disparaître plutôt que d'entendre ce qu'elle interprète comme s'il disait: "Je ne t'aime plus.", "Tu m'as déçu.", etc.

Maxime s'est évanoui à l'école

Les parents de Maxime sont très inquiets: voilà la seconde fois que Maxime s'évanouit à l'école. Maxime est un enfant qui a toujours été surprotégé. Sa mère l'a allaité jusqu'à l'âge de 3 ans et ne l'a presque jamais confié à une autre personne ou à une garderie. Maxime débute l'école et vit une grande insécurité. C'est à ce moment qu'il a besoin de lunettes, à la fois pour la presbytie (peur de ce qui est près de soi) et la myopie (peur de ce qui s'en vient). Il est en première année et son rejet de l'école s'accentue; il le manifeste par de l'agressivité. Se sentant impuissant, c'est par les évanouissements qu'il tente de fuir sa situation.

Jean-Marc, paralysé par la peur

Lorsque Jean-Marc a deux ans, ses parents l'amènent faire une ballade en automobile avec ses frères. Jean-Marc est assis près de la portière arrière. Soudain, cette portière s'ouvre et Jean-Marc est projeté à l'extérieur. Il s'en tire avec une fracture du crâne. A l'âge de 21 ans, il est avec des amis en automobile, assis à nouveau à l'arrière. Le conducteur a pris quelques verres, quand soudain, suite à une fausse manoeuvre, il perd presque le contrôle. Jean-Marc est paralysé par la peur. Le lendemain, il se lève avec une paralysie faciale.

La **paralysie** est caractérisée par un arrêt du fonctionnement des muscles et des tendons. Il y a rigidité, refus d'aller vers la vie. On ne veut plus regarder, ni parler, ni partager. On paralyse un moyen de communication. La paralysie, l'amnésie, le coma, la narcolepsie, l'autisme, la maladie d'Alzheimer, l'alcoolisme sont toutes autant de façons de fuir sa réalité.

Marthe et sa sénilité

Marthe a travaillé très fort toute sa vie. Elle a pris soin de sa mère qui est morte vers l'âge de quatre-vingts ans. Elle pense qu'il est tout-à-fait normal que lorsqu'on est fatigué de la vie, ce sont les enfants qui doivent s'occuper de leurs vieux parents. Ainsi, après le décès de son mari, dont elle a pris soin, elle se laisse tomber en disant à sa fille: "C'est à ton tour à présent d'avoir soin de moi." C'est ainsi qu'elle se laisse aller complètement pour qu'on lui apporte soins et attentions, comme lorsqu'elle était enfant et que sa mère s'occupait d'elle.

Un patient et des plaies de lit

Il y a quelques années, je visitais un ami à l'hôpital. Son voisin de lit me reconnut (il m'avait vue à la télévision) et me demanda: "Madame Rainville, vous qui êtes en médecine psychosomatique, pouvez-vous m'expliquer pourquoi mes plaies de lit ne guérissent pas? Est-ce les médicaments ou le lit?" Cet homme avait le bas du corps paralysé, suite à un accident où il s'était brisé la colonne vertébrale. Je lui demandai s'il pensait que chez lui il serait un fardeau. Il me répondit: "Je ne fais pas que le penser, je suis un fardeau pour ma femme. Moi, je voudrais bien mourir, arrangé comme je le suis, mais ma femme et mes amis ne veulent pas que je meure." On voit ici que cet homme voulait rester en vie pour répondre aux attentes de sa femme et de ses amis, mais qu'en même temps, il ne voulait pas être un fardeau pour sa femme. La solution? Demeurer à l'hôpital en ne guérissant pas. Inconsciemment, il refusait de guérir, malgré le lit d'eau spécial, les très bons traitements et les médicaments. Pour l'aider, il fallait qu'il en prenne conscience et qu'il trouve une solution autre que la fuite dans la maladie. Je tentai de l'aider en ce sens, mais mon ami quitta l'hôpital et je ne le revis plus. Qu'a fait cet homme de ce que je lui avais apporté?

La fuite n'est jamais une solution. La personne qui utilise ce subterfuge le fait par ignorance des possibilités qu'elle possède. Elle se sent souvent épuisée et impuissante face à sa situation. Elle paie très cher, de sa santé et de son bien-être, cette fuite. Premièrement, il faut en prendre conscience puis, passer à l'action pour trouver des solutions.

Cette affirmation peut beaucoup aider:

J'ai confiance en ma situation présente

car Dieu, l'Esprit même de la Sagesse et de

l'Amour, est avec moi pour me guider et me soutenir.

Tout s'arrange maintenant et divinement pour moi.

Je trouve la solution idéale à ma situation.

CHAPITRE X

LES MALADIES RELIÉES À L'AUTODESTRUCTION

Ces maladies peuvent provenir d'un profond découragement où la personne n'a plus vraiment envie de vivre. Elles peuvent également être reliées à de profonds ressentiments, haines ou culpabilités. Elles sont parfois à caractère mortel, nous retrouvons donc: l'anorexie, le cancer, la leucémie (cancer du sang), la sclérose en plaques, l'infarctus du myocarde, le lupus érythémateux, le SIDA, la fibrose kystique, la dystrophie musculaire, la tuberculose, la lèpre, la gangrène, la maladie d'Addison, la maladie d'Hodgkin, etc.

L'ANOREXIE

L'anorexie est caractérisée par un non-goût à la vie qui se traduit par un non-goût pour la nourriture qui est symbole de vie. L'anorexique se rejette et rejette la vie. Il y a au fond de cette personne un profond découragement qui souvent passe inaperçu aux yeux de son entourage. Quelquefois, la personne présente une certaine maigreur, mais ce n'est pas toujours le cas. Parfois, ce sera une blancheur de la peau qui pourrait la trahir. Certaines anorexiques vivent dans la hantise de grossir.

Jeanne était anorexique

Jeanne est infirmière, de petite taille, sans surplus de graisse, le teint blafard. Rien ne laisse supposer à son entourage qu'elle souffre d'anorexie. Sans être dynamique ou bout en train, elle semble fonctionner. Son mari me voit un jour à la télévision et lui dit: "Tu devrais prendre rendez-vous avec elle, cela pourrait sûrement t'aider.", ce que fait Jeanne. À la naissance, Jeanne a une malformation aux genoux, ce qui nécessita quelques opérations sérieuses. Pendant les premières années de sa vie, on lui en fait des remarques, elle se rejette complètement et en veut à la vie d'être née

Participer à l'Univers

ainsi, d'où rejet de la vie. Il semble que les opérations auraient eu un effet sur sa croissance et maintenant, à l'âge adulte, elle se rejette à cause de sa petite taille. Quand Jeanne change d'attitude et commence à s'accepter, c'est comme si le monde autour d'elle changeait aussi. Elle me dit, à la fin de la thérapie: "J'ai eu faim pour la première fois cette semaine." Dans ses mots, elle me traduisait: "Je commence à dire oui à la vie."

LE CANCER

Le cancer est un édifice tissulaire dû à la prolifération sur place de cellules apparemment autonomes et douées d'une fertilité illimitée. Au lieu d'avoir tendance à s'entourer d'une capsule, le cancer plus agressif envahit les tissus et les détruit en s'accompagnant d'une réaction inflammatoire. Il peut proliférer par voyage de cellules cancéreuses dans les voies sanguines et lymphatiques pour aller coloniser un peu partout dans l'organisme et entraîner de nouvelles tumeurs cancéreuses semblables à la tumeur primitive. Le cancer prend alors le nom de "généralisé".

Ce qui se passe à l'intérieur de l'organisme reflète ce qui se passe à l'extérieur. Les cellules représentent les humains et le tissu représente un milieu de vie. Lorsqu'un individu est en réaction à son milieu, il devient agressif, refuse de fonctionner avec ceux qui l'entourent et devient atypique. C'est souvent par ressentiment ou par haine qu'il devient en réaction à son milieu familial, de travail ou social et agit comme s'il voulait le détruire. Il se peut aussi que l'individu, dans sa culpabilité, pense qu'il ne mérite pas de vivre heureux et en harmonie, parce qu'il est responsable de la souffrance des autres. Inconsciemment, pourra-t-il désirer les supprimer, pour qu'ils ne lui rappellent pas ces sentiments de culpabilité, et se supprimer également. (Voir le cas de Marc au chapitre VI.)

Dans les deux cas précédents, il peut arriver que l'individu en veuille à la vie, qu'il pense que la vie est injuste, qu'elle a suffisamment duré avec toutes ses difficultés, et qu'il veuille la détruire, ce qui se manifestera par la destruction de sa vie. Le cancer est souvent décrit comme la maladie des émotions qui débordent. Voyons quelques cas.

96

Angéline souffrait d'un cancer du nez

Angéline est institutrice. Toute sa vie, elle s'est dévouée pour ses enfants, ses élèves et sa communauté. La voilà à l'âge de la retraite. Elle pense que tout ce qu'elle avait à faire, elle l'a fait. Elle dira à une de ses amies: "Maintenant, il ne me reste plus qu'à partir." Quelques temps après le début de sa retraite, elle développe un cancer du nez (le nez laisse entrer l'air qui représente la vie). Elle a exprimé son désir. Le cerveau limbique l'a mémorisé et l'hypothalamus l'a exécuté. Pourtant, elle fera tout pour guérir: traitements, médicaments, etc. Mais, inconsciemment, elle préfère partir. Après un peu plus d'un an (cela lui a donné le temps de préparer son départ), lorsque ses enfants acceptent qu'elle va mourir, elle décède d'un cancer généralisé.

Jean-Paul a un cancer du larynx

Lorsqu'il se présente en consultation, comme je sais que le larynx représente l'expression de soi, je lui demande s'il a des émotions qu'il n'aurait pas exprimées. Il me répond sans ménagement: "Toute ma vie j'ai fermé ma gueule." Jean-Paul cultive énormément d'attentes envers les autres. D'abord, c'est envers sa famille qu'il vit de la frustration, puis, par la suite, c'est face à sa femme. Il me dit : "Je lui ai tout donné et elle ne m'a rien donné. J'ai été sexuellement frustré toute ma vie." Comme le chakra (centre d'énergie) sexuel est relié au chakra de la gorge, cela explique très bien le cancer de Jean-Paul. (Voir les centres d'énergie du corps.) Hélas, Jean-Paul ne veut pas changer son attitude envers les autres et envers la vie. Il préfère continuer à entretenir son ressentiment. Il se dit trop vieux et qu'il est trop tard. Je ne peux alors rien pour lui.

Marguerite et son cancer du sein

Les seins représentent la maternité. Marguerite a cinq enfants. Par un bel après-midi d'été, alors qu'elle lave son plancher et qu'elle ne veut pas être importunée par les enfants qui entrent et sortent à tout moment, elle met le verrou. Pendant ce temps, sa fille cadette âgée de deux ans et demi, qu'elle croit en train de s'amuser avec les plus grands, escalade la piscine hors terre, tombe et se noie. Le remords qu'elle cultive face à la mort de cette petite est à l'origine du cancer qu'elle développe. Que serait-il advenu si elle ne l'avait pas compris et ne s'en était libéré? Le cancer aurait proliféré dans son autre sein pour se terminer en cancer généralisé.

Antoine et le cancer des poumons

Antoine est ce qu'on peut appeler un bon vivant. Malgré les deux paquets de cigarettes qu'il transforme en fumée chaque jour, il est bien portant et heureux. Quelques années avant l'âge de sa retraite, le patron de l'entreprise pour laquelle il a consacré une partie de sa vie, prend la sienne et confie l'entreprise à ses fils. Ces derniers retirent à Antoine les privilèges qu'il avait acquis au cours des années (un bureau, la liberté de ses heures de travail). Cela pèse très lourd sur le moral d'Antoine et l'oblige à prendre une retraite anticipée. Un an plus tard, nouveau choc émotionnel: une importante querelle avec un frère qu'il affectionne l'amène à renier sa famille, c'est-à-dire ses frères et soeurs. Comme Antoine est sensible, ce ressentiment le ronge. Il ne veut même pas en parler et dit: "Mon frère est mort pour moi." On le voit de plus en plus taciturne et morose et, moins de deux ans après cette querelle, il décède du cancer des poumons.

Les poumons représentent notre espace, notre autonomie. Il avait coupé son espace face à sa famille et s'était enfermé dans le ressentiment, la tristesse et le découragement.

Fernand et le cancer de l'estomac

Fernand est un architecte de renom. C'est aussi un grand manipulateur. Les personnes autour de lui doivent servir à ses fins, sinon ils n'ont guère de place. Il est marié et a trois enfants. Il a près de lui, à son travail, une femme assez extraordinaire qui, même dans l'ombre, fait fonctionner son bureau d'architectes et décroche les contrats. Bref, elle est un maillon très puissant de sa machine. Il la fréquente, lui offre bijoux, fleurs, etc. Un jour, elle lui annonce qu'elle veut le quitter. Cela représente un trop gros risque pour lui, il met donc les bouchées doubles, lui disant qu'il l'aime et qu'il est prêt à quitter sa femme pour elle. Il l'amènera jusqu'à l'idée d'avoir un enfant de lui. Elle a un enfant. Et c'est là que Fernand est pris à son propre piège; il ne peut divorcer à cause de l'amour qu'il porte aux enfants qu'il a avec sa femme et se retient dans l'amour de ce nouvel enfant. Cette situation devient déchirante pour lui. Il est rempli de remords envers ses premiers enfants et ce dernier à qui il faut raconter des tas d'histoires pour expliquer pourquoi papa ne couche pas à la maison. *L'estomac représente notre capacité à digérer de nouvelles idées.* Il ne pourra jamais digérer cette situation et elle lui coûtera la vie.

Lucette et le cancer des os

Lucette est mariée à Pierre depuis quinze ans, ils ont cinq enfants. Pierre entretient une relation extra-conjugale à l'insu de Lucette. Celle-ci est le genre de femme à prendre soin de sa santé, peut-être trop au goût de Pierre. Elle ne fume ni ne boit, s'alimente bien, se couche tôt, ne fait jamais d'excès. Un jour, elle trouve un mot sur la table de nuit où Pierre lui écrit qu'il est parti avec une autre femme et qu'il ne reviendra plus. Elle se sent complètement anéantie. Comment fera-t-elle avec ses cinq enfants? C'est la révolte, elle crie à l'injustice. "Qu'ai-je fait pour mériter cela?" Puis le silence et la haine l'envahissent. Trois ans plus tard, elle décède du cancer des os.

Les os représentent à la fois le soutien et la structure des lois et des principes du monde dans lequel nous vivons. Je n'ai pas reçu cette personne, mais sa soeur qui ne pouvait comprendre comment une personne qui avait fait attention toute sa vie à sa santé puisse mourir d'un cancer des os.

Anna et la leucémie

Anna est italienne. Lorsqu'elle est enfant, elle vit à l'hôpital du village où elle habite. Sa mère est infirmière et son père s'occupe des travaux d'entretien de l'hôpital. Anna est en contact continuel avec les patients. Pour Anna, la pire des maladies, c'est la leucémie et elle se console en se disant qu'elle est trop jeune pour avoir cette maladie (tous les cas qu'elle a vus ont plus de quarante ans), qu'avant l'âge de quarante ans, il n'y a pas de danger. Anna émigre au Canada, se marie, met au monde une petite fille. Elle a d'énormes problèmes avec son mari qui fait des psychoses à répétition. N'en pouvant plus, elle décide de le quitter et sa belle-famille lui fait porter le blâme des psychoses de son mari. Elle me dit: "Il faut toujours que je me batte. D'abord avec mon père, mon mari et puis ma belle-famille." Elle nourrit énormément de haine envers ces derniers.

Quand j'ai connu Anna, elle avait 42 ans. Elle était condamnée car on lui avait dit qu'il lui restait environ trois mois à vivre. Aujourd'hui, deux ans et demi plus tard, elle se porte très bien. D'ailleurs, trois mois après le début de la thérapie, il n'y avait plus aucune trace de leucémie.

La leucémie est une prolifération importante de moelle produisant nombre de globules blancs (leucocytes) immatures. Les globules blancs servent à défendre l'organisme. Anna disait: "Je dois toujours me battre." Aussi produisait-elle une armée de globules blancs dans son corps. Anna a pris conscience qu'elle avait créé sa leucémie à partir de sa peur d'enfant, de son sentiment de lutte et de sa haine envers sa belle-famille, surtout. En se libérant de ces trois facteurs, elle s'est libérée de sa leucémie.

Moi et mon cancer du col utérin

L'utérus représente le foyer. C'est le premier foyer de l'être humain. Lorsque je suis devenue enceinte, j'étais sur le point de quitter mon mari. Désirant garder cet enfant, je suis demeurée avec lui le temps de la grossesse et les premiers mois suivant la naissance de mon enfant. Lorsque ma fille eut six mois, je me suis séparée, d'un commun accord avec mon mari. J'avais des choses à vivre qui étaient importantes pour moi. J'étais passée de la tutelle de ma mère à celle de mon mari. J'avais besoin d'expérimenter de vivre seule (sans tutelle). Quelques temps après ma séparation, un jour où j'avais confié la garde de ma fille à ma mère, celle-ci me dit: "Moi, je me suis sacrifiée toute ma vie pour mes enfants." Je lui répliquai que j'espérais bien n'avoir jamais à dire cela à ma fille. A partir de ce moment, j'ai porté une double culpabilité: d'abord que ma mère se soit sacrifiée pour moi et celle d'avoir brisé le foyer de ma fille. C'est ainsi que j'ai brisé mon foyer, représenté par mon utérus. J'ai eu nombre de traitements et même une opération car j'avais formé une masse d'adhérences qui reliaient mon utérus, mes trompes et mes intestins. (Les adhérences sont liées au fait de s'accrocher à des remords ou des illusions.) On m'avait dit que je n'avais pratiquement aucune chance d'avoir un nouvel enfant. Chaque fois que j'étais menstruée, j'avais des douleurs atroces et j'étais trois jours au lit avec un coussin chaud sur le ventre. Puis, je rencontrai mon second mari et devins enceinte de mon fils

Mikhaël. Tous mes problèmes disparurent: j'avais créé un nouveau foyer. Je vécu une seconde séparation cinq ans plus tard et les mêmes symptômes revinrent (saignements entre mes règles, douleurs abdominales). Mais cette fois, j'avais compris et cela ne dura que quelques jours pour ne plus réapparaître. Je m'étais libérée de ma culpabilité. On peut observer un parallèle entre l'augmentation des divorces et l'augmentation du cancer du col utérin.

Benoit et un cancer du testicule

Les testicules représentent le principe masculin. Benoit a 28 ans. Il est le cadet d'une famille de cinq enfants dont une soeur et trois frères. À sa naissance, sa mère, qui désirait tellement une fille, démontre de la déception. Benoît se sent rejeté dans sa peau de garçon. Ainsi rejette-t-il sa masculinité. À l'école, il a des problèmes avec les garçons car tous les jeux d'agressivité, dont le sport, lui répugnent. D'ailleurs, il se sent mieux en compagnie des filles. Il est d'un naturel doux et gentil et son corps témoigne de ses caractéristiques féminines, sans pour cela être efféminé. Il a un frère de sept ans son aîné. Ce dernier, d'allure très masculine, se moque de lui en le traitant de "petite fille", de "tapette". Benoit rejette à nouveau cet aspect de la masculinité présenté par son frère. Benoit se marie à l'âge de 23 ans. Deux ans après son mariage, sa femme le quitte. Nouveau rejet qui provoque un profond découragement où il souhaite de toutes ses forces mourir. Lorsque je le reçois en thérapie, la médecine ne veut plus le traiter, considérant que c'est inutile, qu'il est trop tard. Lorsque Benoit prend conscience que c'est son propre désir de mourir qui l'a conduit à développer ce cancer, je lui dis que s'il veut mourir, c'est son choix, mais que s'il veut vivre, il doit agir comme une personne qui veut vivre. Depuis, il s'est repris en main et il est en voie de guérison.

Ernest et le cancer de la prostate

La prostate représente la puissance chez l'homme puisqu'elle est reliée à sa puissance sexuelle. Ernest est contracteur. Il travaille depuis des années pour une firme internationale et s'occupe d'importants contrats avec toute une équipe dynamique. Il est envoyé partout, en Afrique du Nord, en Amérique du Sud, etc. Quand Ernest atteint la cinquantaine, la firme commence à le ménager et ne lui confie plus ces défis qu'il aime tant relever. Il sent une perte de puissance vis-à-vis de la compagnie. C'est alors qu'il développe des problèmes de prostate qui dégénèrent en cancer. Ernest est mis en convalescence et change complètement son régime de vie. Il adopte une alimentation saine, se permet tous les plaisirs qu'il avait remis à plus tard (pêche à la truite, vie en plein air). Il s'est donné deux ans pour guérir et il guérit. Aussi retourne-t-il à son travail et, à nouveau, on lui retire des responsabilités. Trois mois après son retour, il fait une récidive. Lorsque nous discutons ensemble, il me dit qu'il ne peut quitter son travail, car il représente sa sécurité. À présent, à la première cause de son sentiment d'impuissance, celle de sa baisse de qualifications en fonction de son âge, s'ajoute un nouveau sentiment d'impuissance face à sa sécurité.

Combien ai-je rencontré de personnes de ce genre qui ne voyaient pas de solutions à leurs difficultés alors que l'Être humain est à l'image de Dieu? Si Ernest peut créer sa maladie, il peut tout aussi bien créer la situation idéale dont il a besoin.

Il est dit: **"Demandez et vous recevrez, frappez et l'on vous ouvrira."**

LA SCLÉROSE EN PLAQUES

Affection sérieuse se manifestant par des lésions cutanées, sous-cutanées, ostéo-articulaires, musculaires, digestives, respiratoires et rénales. Dans presque tous les cas de sclérose que j'ai rencontrés, la personne vivait de grandes souffrances qui entraînaient un profond découragement face à la vie. Le premier centre d'énergie, le chakra coccygien, est relié à la survie, aux besoins de base. Lorsqu'une personne vit de grandes peurs où sa survie est en jeu, ou lorsqu'elle vit de grandes douleurs, elle utilise beaucoup l'énergie de ce chakra, ce qui affecte les parties solides de son corps: la peau, les muqueuses, les muscles et les os. (Voir les centres d'énergie du corps.)

Marguerite, paralysée par la sclérose

Marguerite a épousé un homme qui la bat. Avant son mariage, son père lui avait dit: "Si cela ne marche pas, ne viens pas te plaindre." Marguerite se sent donc obligée de supporter ses souffrances. Un jour, son mari la quitte. Elle se sent abandonnée

102

et se replie sur ses enfants. Lorsque le dernier quitte la maison à un moment où elle est malade, elle vit un nouvel abandon. C'est alors qu'elle ne peut plus marcher et doit utiliser un fauteuil roulant (elle ne veut plus avancer dans la vie). Ce qui est pourtant étonnant, c'est qu'elle peut marcher la nuit, mais pas le jour. Le jour correspond à la vie, et la nuit, au temps avant la vie.

Laurette, un autre cas de sclérose

Lorsque Laurette vient me consulter, elle me dit qu'il n'y a pas un centimètre de son corps qui ne lui fait pas mal. Elle a des brûlures sur tout le corps et celles situées aux aines des cuisses lui sont tellement insupportables, qu'elle ne peut demeurer assise plus de quinze minutes. De plus, elle est agitée de tremblements et a de la difficulté à marcher. Laurette est l'aînée de sa famille. Au décès de sa mère, elle n'a que douze ans. Elle me dit: "Il fallait que je fasse tout: que j'entretienne la maison, que je console mon père, que j'élève mes frères et soeurs. Je n'ai jamais pensé à moi, je ne me permettais pas de vivre et j'ai toujours été très dure avec moi." Lorsque son mari perd son emploi, elle essaie d'apporter, par tous les moyens, le nécessaire à la famille, en s'oubliant, une fois de plus, et en gardant pour elle-même toutes ses craintes pour la survie des siens. À bout de forces et d'inquiétudes, elle développe la sclérose. Après une seule fin de semaine de thérapie intensive où elle prend conscience de la cause de cette maladie, et lorsqu'elle décide de faire confiance à la vie et de penser à elle, toutes les brûlures disparaissent. Ses amies lui demandent comment elle a pu rester assise près de vingt heures. Elle-même en est surprise. Mais elle sait que désormais, elle est en voie de guérison complète.

L'infarctus du myocarde

L'infarctus du myocarde est souvent associé à des personnes qui ne prennent pas le temps d'apprécier la vie pour ce qu'elle a à leur offrir. Très souvent, ces personnes recherchent le pouvoir représenté par un titre ou des possessions matérielles et financières. Elles consacrent une grande partie de leur temps à cette recherche, en oubliant l'essentiel: **vivre et apprécier ceux qui sont autour de soi.** On pourrait dire que souvent l'infarctus est la maladie de ceux qui veulent prouver aux autres ce dont ils sont capables.

Roger et sa crise cardiaque

Roger vient d'une famille nombreuse. A dix ans, il a un accident aux jambes qui l'immobilise pendant près d'un an. A son retour à l'école, il est placé dans une classe de rattrapage où l'on place ceux qui ne peuvent suivre les autres. A la fin de l'année scolaire, les parents sont invités pour la remise des bulletins. La coutume veut qu'on applaudisse le premier de chaque classe. Il est le premier de sa classe de rattrapage, mais ne reçoit aucun applaudissement. À ce moment, monte en lui une grande colère qui se transformera en haine envers cet auditoire. Il se dit, dans sa rage: "Vous verrez, un jour, qui je vais devenir." Aussi, passe-t-il sa vie à essayer de prouver aux autres ce dont il est capable, oubliant pour cela sa femme, ses enfants, ses loisirs. Seule l'ambition le motive jusqu'à ce que sa femme le quitte. C'est alors qu'il déclenche une crise cardiaque. A la fin de sa thérapie, il écrit: "Merci mon Dieu, j'ai compris."

LUPUS ÉRYTHÉMATEUX

Le lupus érythémateux se reconnaît par des taches rouges bien circonscrites, fixes, presque toujours localisées à la figure, qui se recouvrent peu à peu d'une squame adhérente. Le lupus érythémateux peut aussi être disséminé et amener une altération grave de l'état général.

Jacinthe et son lupus

Jacinthe est coiffeuse. Elle n'a jamais vraiment apprécié la vie. Adolescente, elle se fabrique un jour un scénario où elle croit qu'elle va mourir. Elle raconte aux religieuses qui lui enseignent qu'elle ne reviendra plus et continue ainsi son scénario. Elle s'endort convaincue qu'elle ne se réveillera plus. Lorsqu'elle se réveille, le lendemain, elle est déçue de ne pas être morte. Mais son désir de mourir l'habite toujours et quelques années plus tard, on découvre qu'elle souffre d'un lupus. Ce n'est que lorsqu'elle décide de vivre pleinement qu'elle s'en libère.

LE SIDA

Le syndrome immuno déficitaire acquis (SIDA), cette maladie qui a fait couler tant d'encre ces dernières années et aussi fait naître tant de panique, est aussi relié à l'autodestruction totale, destruction de son immunité. Les personnes atteintes sont très souvent des personnes qui portent de profondes culpabilités sexuelles. Elles se rejettent complètement et pensent qu'elles ne méritent pas de vivre. Pourquoi les enfants? Parce qu'ils rejettent cette vie, qu'ils n'en veulent pas. Je n'ai pas eu personnellement de cas de sidatiques; cependant, un jour où j'écoutais une émission à la télévision, on avait invité des sidatiques, et tous confirmaient ce rejet de leur vie. L'un, en particulier, disait que suite à sa maladie il avait compris qu'il s'était toujours rejeté et que depuis il s'était réconcilié avec lui-même et avec sa vie. Ses symptômes disparaissaient graduellement et il était persuadé qu'il allait guérir.

DYSTROPHIE MUSCULAIRE

La dystrophie musculaire est une maladie qui se caractérise par une faiblesse progressive et une dégénérescence de certains groupes musculaires.

Une inconnue atteinte de dystrophie musculaire

Alors que je participais à un salon des médecines douces, une visiteuse dans un fauteuil roulant vient me consulter parce qu'elle souffre de dystrophie musculaire. Elle me raconte son histoire très chargée émotionnellement. À la suite d'un viol, elle est devenue enceinte. S'étant toujours sentie seule au monde, rejetée et humiliée, cet enfant représente pour elle sa plus grande source d'amour. À l'âge de deux ans, sa fille souffre de violentes crises d'asthme, accompagnées de céphalées (maux de tête). Sa mère,

105

désemparée devant la souffrance de son enfant, s'écrie: "Mon Dieu, prends ma santé et donne-la à ma fille." Graduellement, sa fille guérit mais elle, elle voit sa santé se détériorer jusqu'à être contrainte de se déplacer dans un fauteuil roulant. Elle me dit: "Plus ma fille va bien, plus moi, je vais mal." Lorsque je lui demande s'il est possible qu'elle et sa fille soient en bonne santé, elle me répond qu'elle ne veut pas guérir, qu'elle a trop peur que sa fille perde sa santé. Examinons ce qui s'est passé. Cette dame, dans sa croyance, fait entrer dans son néo-cortex (droit): "Mon Dieu, prends ma santé et donne-la à ma fille." Comme cette demande est chargée émotionnellement, le cerveau limbique la met en mémoire et active l'hypothalamus (subconscient) pour qu'il l'exécute. Que se passe-t-il chaque fois que sa fille fait une rechute? Elle est de plus en plus malade et est convaincue que la santé de sa fille repose sur le fait qu'elle lui a donné sa santé et qu'elle-même prend ce qu'aurait pu vivre sa fille. Pour s'en libérer, cette dame devra prendre conscience que la santé de sa fille n'a rien à voir avec sa propre maladie, que sa maladie provient d'une création mentale reliée à ses croyances.

TUBERCULOSE

La tuberculose se rencontre en général chez des personnes très découragées face à leur vie ou encore qui entretiennent du ressentiment parce qu'on les a délaissées. C'est souvent le cas de vieillards laissés seuls qui vivent à la fois du découragement face à leur solitude et en veulent aux autres de les délaisser alors que, très souvent, ils ne savent pas demander. On en retrouve aussi certains cas chez les alcooliques. Autrefois, elle faisait ses ravages chez les mères ayant beaucoup d'enfants. Elle fait moins de ravage de nos jours, mais elle est encore présente.

LA LÈPRE

La lèpre, qui est plutôt rare dans les pays industrialisés, est cependant fréquente dans les pays du tiers-monde. Dans ces pays où les croyances sont très fortes, *la personne qui se croit impure s'autodétruira par la lèpre.* Il arrive aussi que dans ses croyances, une personne croit que si elle souffre ici, après sa mort, elle ira dans un paradis. La personne peut aussi créer une maladie d'expiation.

LA GANGRÈNE

La gangrène est une lésion grave caractérisée par la mortification des tissus. Les noms de nécrose, nécrobiose, dévitalisation peuvent être considérés comme des synonymes de gangrène. C'est la mort des tissus. La vie ne se rend plus dans ces tissus. Les causes sont très similaires à celles du cancer. Une partie de nous veut mourir, ne veut plus communiquer avec son entourage. Cela peut provenir d'une grande souffrance, d'une culpabilité profonde. En temps de guerre, les cas de gangrène sont fréquents. On en attribuait la cause à un agent pathogène situé dans la terre qui serait venu en contact avec les plaies des soldats. On pourrait se demander si les soldats, qui vivaient la destruction partout autour d'eux, ne vivaient pas de profondes culpabilités avec le désir de détruire la partie d'eux qui les avait amenés à tuer tant de personnes (les jambes, les bras, les mains, les pieds, etc.)? Un jardinier, par exemple, qui se blesse, développe rarement une gangrène.

Donc, pour se libérer de ses maladies de destruction, il faut:

• prendre conscience de la cause qui nous a amené à vouloir mourir;

• se libérer de ses haines, rancunes ou profondes culpabilités;

• s'accepter tel que l'on est;

• accepter la vie telle qu'elle est, voir le côté positif qu'elle a à nous offrir, faire confiance en un demain meilleur, remercier pour chaque petite joie que la vie nous offre, ainsi, il y en aura davantage;

• prendre le temps de rire (le rire est une excellente thérapie), de s'amuser, de chanter;

• développer l'humour;

• se lancer un défi, trouver un idéal.

107

CHAPITRE XI

LES MALADIES RELIÉES À LA PEUR

Un jour, un sage se rendant à un pèlerinage dans un petit village de l'Inde, rencontre sur son chemin monsieur Choléra. Le sage lui demande où il va de si bon matin. Monsieur Choléra lui explique qu'il a reçu la mission de retirer 500 âmes de la Terre. Comme les gens seraient très nombreux à ce pèlerinage et que les conditions d'hygiène laisseraient à désirer, c'était donc l'endroit idéal pour exécuter sa mission. Mais quand le sage revient, il se dit que ce monsieur Choléra lui a menti, puisqu'au lieu des 500 âmes qu'il avait dit qu'il prendrait, il en avait pris 1 500. Il se dit: "Ah, si je le revois celui-là." C'est à ce moment qu'il rencontre à nouveau monsieur Choléra. Ce dernier lui dit : "Je savais que tu penserais que j'avais menti, mais j'ai exécuté ma mission, je n'ai retiré que mes 500 âmes." Le sage lui demande donc: "Mais alors, les 1 000 autres?" Monsieur Choléra s'empresse d'ajouter: "Monsieur Peur était aussi au pèlerinage. C'est lui qui a pris les mille autres." Cette histoire, pleine de sagesse, démontre que la peur de la maladie peut faire autant sinon plus de ravages que la maladie elle-même.

Dès que nous commençons à entretenir une pensée de peur, nous marquons nos cellules de cette peur. Le champ vibratoire atomique émet alors une résonance qui tend à attirer à nous l'objet de notre peur. Tout le monde sait que la personne qui craint les chiens les attire. Elle dira: "On dirait que le chien ne voit que moi et que je suis la seule à voir le chien." Le véritable danger de ces pensées de peur, c'est qu'elles ont pouvoir de création dans mon imagination. (Voir le chapitre IV ou le chapitre X).

Le mari d'Annette

La mère d'Annette a subi une colostomie et doit porter un sac. Le mari d'Annette trouve cela terrible. Il dira: "Moi, je ne voudrais jamais vivre une telle opération et je préférerais mourir plutôt que d'être installé avec un sac." Dix ans plus tard, il sera opéré pour une tumeur à l'intestin qui nécessitera une colostomie, mais il mourra juste après l'opération...

Plus j'entretiens une peur, plus il y a de chances que je la voie se manifester. Non seulement la peur a-t-elle pouvoir de création, mais elle créera un déséquilibre qui se manifestera par différents malaises tels que:

- **mal de tête:** si je m'inquiète trop de ce qui peut arriver;

- **mal aux yeux:** si j'ai peur de l'avenir; si je vis de l'incertitude face à ce qui va arriver ou m'arriver. Un jeune garçon qui portait des lunettes me dit que sa myopie correspondait avec la peur de la fin du monde. Il avait entendu des histoires à ce sujet;

- **mal de dents:** si je m'inquiète des résultats; il se peut aussi que j'aie peur de mordre dans de nouvelles idées;

- **voix enrouée** ou **laryngite:** si j'ai peur de dire ce que je pense à une personne qui représente l'autorité pour moi ou encore si je suis en groupe et que j'ai peur des commentaires que les autres pourraient porter sur ce que j'ai à dire;

- **mal aux coudes:** si j'ai peur de prendre une nouvelle direction dans ma vie;

- **mal aux mains:** si j'ai peur de ne pas pouvoir me prendre en main ou me trouver du travail;

- **mal dans les doigts:** si je m'inquiète pour des détails du quotidien;

- **mal à l'estomac ou au pancréas:** si j'ai peur de ne pas être à la hauteur des attentes des autres;

- **mal dans le bas du dos:** si j'ai peur de manquer d'argent face à mes besoins de base: nourriture, logement, comptes à payer, ou encore si j'ai peur de ne pas avoir l'argent nécessaire pour réaliser les projets qui me tiennent à coeur;

- **gaz intestinaux:** si j'ai peur de lâcher prise, si je m'accroche à ce qui représente une sécurité mais qui n'est plus bénéfique pour moi;

- **mal de jambe ou de pied:** si j'ai peur d'avancer vers une nouvelle situation;

- **vertige:** si j'ai peur du vide, de perdre pied, si les situations inconnues m'angoissent;

- **mal aux orteils:** si je m'inquiète pour des détails du futur;
- **mal du mouvement:** (soit en ascenseur, en automobile, en avion ou en bateau): si j'ai peur de manquer d'air, de demeurer captif ou encore si j'ai peur de l'inconnu, comme la mort.

En ce qui concerne le mal du mouvement, prenons comme exemple le cas de Gertrude qui souffrait du mal de l'air. Devant se rendre à Hawaï avec son mari, elle était désespérée en pensant à ce voyage. Comment pourrait-elle supporter les douze heures d'avion? Avant son départ, je lui expliquai que c'est très souvent relié à la peur de la mort, ce qui l'intrigua sur le moment. Pendant les jours qui suivirent, elle se rappela que lorsqu'elle était enfant, elle fréquentait un pensionnat. Tous les vendredis soir, son père venait la chercher et il y avait une portion du parcours très dangereux. Souvent, elle y avait vu des accidents et même, une fois, des personnes étendues mortes sur la chaussée. Sa peur provenait de ces visions. Elle la surmonta, fit le voyage, et tout se passa très bien. A son retour, elle me dit qu'elle pourrait apprécier à l'avenir les voyages que son mari lui offrirait.

Concernant les maux d'orteils, voici une petite anecdote qui peut assez bien en illustrer la cause. La veille du jour où l'on devait réaliser un film au Centre que j'avais ouvert à Montréal, nous avions fait une partie pour l'Halloween. Lorsque j'arrivai, le matin suivant, et que je vis les tapis où l'on avait renversé des boissons douces, j'ai pensé: "Ah, mon Dieu, on doit tourner le film aujourd'hui et le Centre est dans un tel état..." Quelques minutes plus tard, je ressens une crampe dans un orteil du pied droit (le rationnel). Je comprends alors la manifestation de mon corps. Je cessai donc de m'inquiéter en me disant que tout est parfait et puis les crampes disparurent.

La manifestation (malaise ou maladie) peut être la résultante de ces peurs que j'entretiens et qui vont à l'encontre de mon potentiel divin. Aussi, plus je prends des risques face à ce que je désire, plus je développerai la confiance en moi-même et en mes capacités profondes, et plus je deviens maître de ma vie plutôt que de laisser la peur devenir maître de moi.

La peur crée aussi les maladies reliées à l'**anxiété**. "Qu'est-ce qu'il va nous arriver?" L'inconnu nous fait peur. Cette anxiété, ou nervosité, se traduit par des tensions ou crampes, des boules dans la gorge, par des chaleurs, une transpiration abondante ou par une sensation de froid (frissons de peur dans le dos). Ces anxiétés peuvent même donner naissance à l'angoisse, à la panique, avec la sensation d'être pris et de manquer d'air. Cette anxiété porte alors le nom de phobie comme:

• **la claustrophobie**: qui est la peur d'être étouffé ou d'être pris dans un endroit comme l'ascenseur, le métro, l'avion, les tunnels ou les grottes, etc ;

• **l'agoraphobie**: qui est la peur de se trouver mal, loin d'un endroit ou d'une personne qui représente notre sécurité. (L'agoraphobe est souvent claustrophobe.)

L'agoraphobie est une forme de repliement sur soi dans des peurs que la personne n'ose communiquer à personne à l'exception de celui ou celle qui représente sa sécurité. C'est très souvent une personne dotée d'une imagination très fertile mais qui s'en sert pour se créer des formes-pensées angoissantes. C'est presque toujours une personne sensible, très réceptive psychiquement. Elle capte les émotions des autres, en particulier leurs peurs, ce qui amplifie les siennes. Très souvent, elle vit dans la peur de perdre le contrôle et de devenir folle. Elle préfère se confiner chez elle, téléphoner pour qu'on lui livre l'épicerie, etc. Mais le jour où elle doit quitter son foyer, que ce soit pour une hospitalisation ou une autre raison qu'elle ne peut éviter, c'est la catastrophe, car alors, elle a peur de tout, des ascenseurs, des gens, des voitures, etc.

De plus en plus de personnes vivent l'agoraphobie. Très souvent la personne dira qu'elle fait de l'anxiété, mais c'est beaucoup plus que de l'anxiété, car elle vit aussi de l'angoisse et des moments de panique intenses. Il y a d'autres formes de phobie, par exemple "Mariette qui avait peur des couteaux", mais toutes sont créées par des formes-pensées appelées aussi élémentals.

Il est donc important pour le claustrophobe ou l'agoraphobe d'en prendre conscience et de passer à l'action pour s'en libérer. Car c'est **lui et lui seul** qui a créé cette forme-pensée et il est **le seul** à pouvoir l'éliminer.

Mariette avait peur des couteaux

Mariette avait une phobie dont elle n'avait jamais osé parler à qui que ce soit, mais qui lui faisait vivre un malaise indéfinissable en présence de couteaux ou de ciseaux. Sa peur remontait à son enfance où elle avait accompagné son père dans un abattoir. Elle avait vu des animaux qu'elle aimait, se faire ouvrir par des couteaux ou des ciseaux, et elle avait vu leur sang couler. Cette image était emmagasinée dans sa mémoire émotionnelle. Aussi, chaque fois qu'elle voyait un couteau, elle y voyait une menace pour sa vie ou celle des êtres qui lui étaient chers. C'est en retournant à cet événement qu'elle pu s'en libérer complètement.

Bernadette et son lombago

Bernadette recherche l'âme soeur. Chaque fois qu'un homme devient amoureux d'elle ou vice versa, le mal de dos se fait sentir. Plus elle vieillit, plus le mal augmente. Elle consulte un orthopédiste qui la rassure en lui disant qu'elle souffre d'une malformation congénitale au niveau du coccyx et que cela ne s'opère pas. Il n'en faut pas plus pour accentuer la douleur. Bernadette se sent impuissante face à son problème. En examinant les périodes où le mal disparaît et les circonstances qui le ramènent, la lumière jaillit: dès qu'une personne fait attention à Bernadette, le souvenir de sa mère surprotectrice lui revient inconsciemment. Comme c'était bon quand maman écartait tous les obstacles afin que sa petite fille jouisse d'une enfance très choyée - ce que sa mère et son père n'ont pas connu. Le message, bien enregistré dans les archives du cerveau, déclenche une action au niveau de l'hypothalamus. Le doux souvenir de l'immobilité de l'enfance déclenche un sentiment d'impuissance face à la peur de perdre l'amour de cette personne qui fait attention à Bernadette. Pour elle, attention et intérêt signifient apathie, peur de déplaire, impuissance, neutralité, manque de force pour franchir les obstacles de la vie. Comment a-t-elle pu s'en sortir? En prenant conscience de sa puissance. Quand elle n'est pas amoureuse, elle souffre rarement du mal de dos, sauf que son nerf sciatique la fait souffrir quelquefois. On sait que le nerf sciatique fait sentir sa présence au moment d'affronter un problème financier qu'on croit insoluble. Maintenant, Bernadette est amoureuse, ne souffre plus de lombalgie et sait comment réagir quand son nerf sciatique lui envoie le message qu'elle commence à douter de ses forces et de ses capacités. Elle comprend aussi que ses parents l'ont beaucoup aimée et qu'elle a confondu amour et surprotection.

Les formes-pensées que l'Être humain se crée

Une histoire raconte qu'un jour un voyageur égaré arriva au paradis et tomba endormi sous un arbre à souhaits. À son réveil, il se rendit compte qu'il avait faim et il pensa: "Oh, combien j'aimerais avoir quelque chose à manger." Immédiatement, lui apparut un met savoureux. Il était si affamé qu'il ne fit pas attention à l'origine de son festin. Il mangea. Se sentant satisfait, il pensa: "Ah, si j'avais quelque chose à boire." Aussitôt, apparut devant lui des boissons délicieuses. Repu, heureux, il s'interrogea: "Qu'est-ce qui peut bien se passer? Est-ce que je rêve ou bien seraient-ce des fantômes qui me jouent des tours?" Alors, des fantômes apparurent. Ils étaient féroces, horribles et affreux. Le voyageur se mit à trembler et, emporté par ses pensées, il se dit: "Ça y est! Ça y est! Ils vont me tuer!" Et les fantômes le tuèrent.

Ces fantômes n'étaient que des formes-pensées appelées aussi élémentals, à qui l'Être humain donne du pouvoir, même le pouvoir de le tuer. On a qu'à regarder une personne agoraphobe qui pense qu'elle va étouffer, et elle étouffe vraiment. Elle peut même en mourir si elle pense qu'elle va en mourir. Il est donc primordial pour cette personne de prendre conscience que ses peurs viennent de ses propres créations mentales. Pour s'en libérer, elle peut:

• s'entourer d'un dôme de lumière blanche qui l'enveloppe de la tête aux pieds;

• reprendre la maîtrise de ses émotions par la respiration. Il s'agit d'inspirer doucement et profondément, par le nez, en imaginant de la force et de la paix pénétrer en soi. Puis, on retient quelques instants. On expire toujours par le nez au maximum, en imaginant que la peur, l'angoisse et la panique quittent complètement son corps pour faire place au calme et à la paix intérieure.

Une fois que la personne a commencé, par la respiration, à reprendre un peu de maîtrise, elle peut utiliser une affirmation pour donner l'ordre à cette forme-pensée de s'en aller. Elle peut répéter l'affirmation suivante jusqu'à 100 fois par jour, si nécessaire, et peut même l'écrire:

Je suis le seul maître de ma vie et toute
forme-pensée non bénéfique, en moi et autour de moi,
est libérée et relâchée immédiatement. Dieu est avec moi
et tout va bien. Je suis maintenant en pleine possession
de mes moyens.

On peut se créer des élémentals bénéfiques pour nous en pensant à des guides de lumière qui nous protègent partout où nous allons, que rien ne peut nous arriver car nous sommes constamment protégés. Je m'étais créé un tel élémental il y a des années, c'est ainsi que j'ai pu voyager seule dans certains pays où l'on disait qu'il était dangereux pour une femme seule d'y aller. Je pense entre autres à la Thaïlande, à l'Inde et au Mexique.

CHAPITRE XII

LES MALADIES RELIÉES À LA CONTRARIÉTÉ

D e la contrariété peuvent naître: l'impatience, la critique, la colère, la rancune et la haine (abordées au chapitre X).

L'IMPATIENCE

Les principaux maux reliés à l'impatience ont en commun les démangeaisons. Les démangeaisons se caractérisent par des grattements, **les choses ne se passent pas selon nos désirs ou ne vont pas suffisamment vite à notre goût.** Il en résulte de l'irritation et de la déception qui peuvent donner naissance à de l'eczéma, de l'urticaire, du psoriasis, du zona ou des allergies reliées à la gale ou "grattelle". L'endroit où sera localisée la maladie sera très significative.

L'ECZÉMA

L'eczéma est relié à une incertitude rendant la personne anxieuse de son destin. Elle ne sait trop où il va la conduire. Elle peut passer du désespoir intérieur à la colère ou la révolte, ce qui peut amener la peau à se fendiller.

Louis a de l'eczéma aux mains

Louis a de l'eczéma aux mains depuis l'âge de 18 ans. Il vit dans l'incertitude de l'orientation qu'il doit prendre face à un travail (les mains représentent ma capacité de prendre et de donner, donc ce qu'on accomplit). Il dit même: "Je sais que lorsque je serai là où je dois être, mon eczéma disparaîtra." Puis, un jour, il découvre ce qu'il veut vraiment accomplir et l'eczéma disparaît.

Line a de l'eczéma aux pieds

J'ai rencontré Line lors de mon voyage en Inde. Elle s'était rendue au Pakistan pour rejoindre son père, mais la ville où il se trouvait est interdite aux étrangers. Elle doit rebrousser chemin jusqu'à Delhi et l'attendre là-bas. Au moment de son renvoi, elle déclenche une crise d'eczéma aux pieds (les pieds représentent la capacité d'avancer). Lorsque j'en discute avec elle, elle me confie que le moment où elle a fait le plus d'eczéma aux pieds, surtout le gauche (côté émotionnel), ce fut lors de la séparation de ses parents.

L'URTICAIRE

Très souvent, des crises d'urticaire surviennent quelques jours après qu'une personne ait ressenti une émotion violente.

LE PSORIASIS

Le psoriasis se rencontre en général chez des personnes hypersensibles (on parlera de sensibilité à fleur de peau) qui ont énormément besoin de l'amour des autres. Elles vivent très souvent dans la peur d'être blessées par une ou des personnes de leur entourage ou encore se sentent obligées de répondre aux attentes de leur entourage, ce qui leur fait vivre facilement de l'irritation.

Chantale a du psoriasis à la tête, aux oreilles et au front

Chantale a 14 ans. Sa mère me l'amène pour un problème de psoriasis très résistant. Aucune pommade n'en est venu à bout. J'interroge Chantale pour savoir quand a commencé le psoriasis. Elle me dit qu'il a commencé il y a a environ 8 mois. Que s'est-il donc passé il y a 8 mois? Son père a eu une prise de bec très sérieuse avec le frère de sa femme qui se trouve l'oncle préféré de Chantale. Elle a été énormément blessée et vit dans l'attente d'une réconciliation. Sa cousine, la fille de son oncle, amplifie sa peur en lui disant que les parents de Chantale vont se séparer. Le psoriasis concerne: son être, relié à la tête; ce qu'elle doit affronter, relié au front et ce qu'elle entend, relié aux oreilles.

LE ZONA

Le zona est une affection d'origine virale caractérisée par une éruption de vésicules disposées sur le trajet des nerfs sensitifs. Il est souvent causé par une mauvaise assimilation d'un événement qui a "blessé" les nerfs en profondeur.

Angéline fait du zona

Angéline est mariée à Paul depuis bientôt 40 ans. On les voit toujours ensemble comme de jeunes mariés. Paul est en excellente forme, bon vivant et très actif. Une nuit, Angéline se rend compte que Paul respire mal, elle appelle un médecin qui lui dit de l'emmener à l'hôpital. Mais Paul y arrive mort, il a fait un infarctus. Angéline vit très difficilement cette séparation. Quelques temps après le décès de Paul, elle souffre d'étourdissements et fait une crise de zona. Cet événement imprévisible a bouleversé sa vie; sa situation de dépendance face à ses enfants l'irrite (zona) et c'est ce qu'elle voudrait fuir (étourdissements).

Philippe et son zona

À trois mois, Philippe a développé un zona sur le thorax au moment où il fut confié à l'hôpital pour une bronchiolite. Il vivait une irritation suite à la souffrance d'être séparé de sa mère. Lorsqu'il est rentré à la maison, le zona a disparu.

LES ALLERGIES

On pourrait se demander ce qu'on accepte pas dans sa vie présente ou ce qu'on acceptait pas et que l'on ne veut pas accepter?

Marc-André et une allergie au chat

Marc-André a 22 ans. Chaque fois qu'il entre dans un foyer où il y a un chat, il éternue, ses yeux rougissent et a parfois de la difficulté à respirer. L'allergie remontait jusqu'à son enfance, où ses parents avait un chat et Marc-André avait l'impression que sa mère aimait davantage le chat que lui. Il en était devenu allergique.

Allergie au froid

Il y a quelques temps, alors que je sortais d'un salon de médecines douces où j'y représentais le Centre d'Harmonisation Intérieure, j'observai que les lobes de mes oreilles, ma figure et mes mains devenaient très rouges, enflés avec une sensation de démangeaisons désagréables. Cela me rappela que vers environ le même âge ma mère avait développé une allergie au froid, qui dura chez-elle, plus de 28 ans. Suis-je comme ma mère? Je m'interrogeai sur la cause possible de cette allergie, n'ayant jamais interrogé ma mère sur le sujet. Je m'interrogeai et le lien que je fis , fut le froid égale l'hiver, l'hiver égale la mort, la destruction. La veille avant que ne se développe cette allergie, j'avais reçu un appel d'un ami très proche qui s'autodétruisait. Je ne pouvais accepter de le voir s'autodétruire. Lorsque je compris le lien, j'acceptai que c'était son choix et que de me torturer mentalement ne pouvait nullement l'aider. Je dis à ma superconscience ou maître intérieur, "J'ai compris, j'accepte que cela fait partie de ce qu'il a à vivre". Tous les symptômes disparurent. Cette allergie au froid qui avait persisté pendant plus de 28 ans chez ma mère, n'avait duré que dix jours chez moi. Par la suite, j'allai vérifié chez ma mère ce qui s'était passé. Chez elle, cela correspondait à la maladie de Parkinson de sa mère ou elle la voyait dépérir et c'est ce qu'elle n'avait pas acceptée.

Un participant, lors d'une conférence où je racontais ce fait, me dit qu'il avait vécu la même chose suite à la mort de sa petite soeur qu'il n'avait pas acceptée. Il n'avait jamais fait le lien auparavant mais il pouvait voir que la disparition de son allergie au froid correspondait à son acception.

Thérèse et son allergie au pollen

Thérèse vit dans une ville d'agglomération moyenne et s'y plaît bien. Lorsqu'elle désire sortir pour ses achats, elle prend un taxi ou un autobus à proximité. Son mari rêve de finir ses jours à la campagne. Par amour pour lui, elle déménage à la campagne où il devient plus difficile pour elle de se déplacer, n'ayant pas de voiture. Elle développe des allergies qu'elle met sur le compte du pollen. Mais au fond, elle n'a jamais désiré pour elle-même aller vivre à la campagne. Après la mort de son mari, elle retourne à la ville et ses allergies disparaissent.

LA CRITIQUE (DESTRUCTIVE)

La critique destructive, qui nous amène à nous dévaloriser ou dévaloriser les autres (se juger ou juger les autres stupides, crétins, idiots, incapables, etc.), peut se manifester de différentes façons. Parmi les maux les plus fréquents reliés à la critique, nous retrouvons **la toux, les éternuements**. Tout le monde a déjà assisté à ces réunions où le conférencier est ennuyeux ou encore au sermon de la messe du dimanche. Après un certain temps où notre conférencier y va de sa verve, les gens commencent à remuer et à tousser. Ils sont en train de lui dire, dans leur langage corporel: "Nous vous trouvons ennuyeux." Les éternuements touchent le senti, très souvent relié à l'intuition. Qu'est-ce qu'on ressent et que l'on rejette? Ou, qui ne peut-on plus sentir? La critique plus venimeuse se traduira par de la colère qui donnera naissance parfois à la **bronchite**. Les gens atteints de bronchite chronique sont souvent des personnes qui critiquent continuellement. De plus, la critique peut se manifester par de la rigidité au niveau des articulations entraînant arthrite, rhumatisme, raideur, qui se traduisent par un manque de souplesse, de tolérance et d'amour envers soi ou les autres.

LA COLÈRE

La colère est une émotion qui bloque l'amour, fait obstacle à la communication, aboutit à la culpabilisation et peut même conduire à la dépression et à l'autodestruction si elle donne naissance au ressentiment et à la haine.

La colère provoque une hypertension qui surchauffe le sang, amenant **fièvre, brûlement, ulcère, inflammation, infection** et peut même entraîner des **maladies de coeur ou de foie**.

L'HYPERTENSION

Jeannine souffre d'hypertension

Jeannine souffre d'hypertension et de dépression. Elle a 42 ans. Enfant, elle a été battue et abusée sexuellement par son père. À l'âge de 13 ans, c'est un oncle qui, à son tour, l'abuse. Elle rejette sa féminité mais se marie quand même. Chaque fois que son mari veut avoir des rapports sexuels, la colère emmagasinée refait surface. Elle en a horreur, ce qui la conduit graduellement vers une hypertension tenace et même jusqu'à la dépression. Le jour où elle peut enfin pardonner à son père et changer d'attitude face à la sexualité, grâce à la coopération de son mari, elle se libère à la fois de son hypertension et de sa dépression.

PROBLÈMES CARDIAQUES

Pierrette a été opérée pour un pontage cardiaque

Pierrette est dans la cinquantaine, d'apparence très gentille et très ouverte, mais elle vit de très grandes colères intérieures. Elle se plaint de la grosseur de son ventre (plexus solaire, zone des émotions) et souffre d'une forte tendance à l'hypertension. Un jour où sa tension atteint un seuil critique, elle me téléphone. Au cours de notre entretien, il ressort qu'elle a vécu une situation méprisante de la part de sa belle-soeur et me dit, dans ces termes: "Je ne veux plus jamais la revoir pour le reste de mes jours." Ces paroles démontrent à quel point elle porte une grande colère en elle. Pierrette est plutôt du genre résistante. Elle préfère demeurer sur ses positions. Deux ans plus tard, j'apprends qu'elle avait été opérée pour un pontage cardiaque. Peut-on en être surpris?

ULCÈRE

Linda avait un ulcère à la cornée

Linda a eu plusieurs problèmes avec ses yeux. Depuis deux ans, elle souffrait d'un ulcère à la cornée. Toutes les gouttes ophtalmologiques n'y purent rien. Cela était très douloureux. D'où venait cet ulcère? Deux ans plus tôt, on l'avait opéré à un oeil qui louchait (strabisme) vers l'extérieur. Le résultat fut décevant. Et chaque fois qu'elle regardait ses yeux, elle en voulait à ses médecins. La colère, dans ce qu'elle voyait, avait provoqué l'ulcère. Quand elle en prit conscience, elle se libéra de sa colère et l'ulcère disparu complètement.

INFECTION

Ma plus jeune participante

Un soir où je donnais l'atelier "Éveil à la santé", une maman avait amené son bébé de trois mois, car elle habitait à une bonne distance et devait l'allaiter. La petite souffrait d'une infection à l'oeil droit (côté rationnel). La mère m'explique qu'elle a un rhume et qu'il s'est jeté dans l'oeil de la petite. Explication simpliste et qui ne tient pas, car le fait d'allaiter l'enfant fournit à cette dernière les anticorps nécessaires. Je demande à la mère si la petite n'aurait pas vu quelque chose qui aurait pu la mettre en colère. C'est alors que la mère se rappelle qu'il y a trois ou quatre jours, elle a échappé la petite dans sa petite chaise. Elle a eu plus de peur que de mal, mais a réagi en boudant sa mère. Et c'est par la suite que l'infection à l'oeil était apparue. La petite a donc suivi l'atelier avec sa mère et, à la fin de celui-ci, l'oeil obstrué était complètement ouvert et l'infection avait disparu. Que s'était-il passé? La petite, au cours de l'atelier, avait pris conscience que cette colère n'était pas bénéfique pour elle.

Dans les foyers perturbés, nous retrouvons davantage d'enfants présentant des infections du genre **otites, conjonctivites** et autres. Si on ne permet pas à l'enfant de s'exprimer ou s'il vit dans la peur, nous retrouverons des **amygdalites, laryngites, furoncles,** etc.

Les personnes qui vivent souvent de la colère face à l'attitude des autres traduisent souvent par une **gastrite** ces mots: "Si seulement vous me ressembliez davantage."

Quant aux **vaginites**, elles peuvent provenir de culpabilités sexuelles (colère retournée contre soi) ou de frustrations envers le partenaire.

Bref, dès qu'il y aura **fièvre, brûlure, inflammation, infection** (maladie se terminant par le suffixe "ite" - **laryngite, appendicite, bursite, gastrite, hépatite, amygdalite, vaginite,** etc.) plus j'aurai intérêt à chercher du côté de la colère.

Le meilleur remède est encore le pardon en acceptant que chaque personne pense, agit et exprime ses sentiments à sa manière. **Vouloir que les autres agissent comme il nous plairait, qu'ils nous disent ce qu'on aimerait entendre ou vouloir que les événements se passent selon nos désirs, ne peut nous conduire qu'à vivre de la contrariété qui sera manifestée dans notre** corps par ces malaises et maladies que nous venons de décrire. Plus j'ouvre mon coeur à la compréhension et à la tolérance, plus je suis en paix avec moi-même et avec le monde.

TROISIÈME PARTIE

LA SYMBOLIQUE DU CORPS ET SES MANIFESTATIONS DE DÉSÉQUILIBRE

"Une idée est un être incorporel qui n'a aucune existence en lui-même, mais qui donne figure et forme à la matière amorphe et devient la cause de la manifestation."

Plutarque

L'Être humain est une pensée incarnée et c'est ce concept que nous retrouvons à l'état latent dans la définition de Plutarque. Ce n'est pas par hasard que le corps de l'Être humain est ainsi constitué. Chaque partie, chaque organe a un rôle spécifique à jouer dans l'adaptation et la protection de l'organisme entier. Il est également le moyen d'expression de la vie qui l'habite.

En connaissant la symbolique du corps, c'est-à-dire ce que représentent ses parties et organes comme moyens d'expression de l'Être vivant, nous serons davantage en mesure de décoder la cause qui a engendré la manifestation de déséquilibre ou de mal-être.

125

CHAPITRE XIII

LE SYSTÈME DE SOUTIEN ET DE LOCOMOTION

Le corps possède une charpente d'usage à la fois statique et dynamique, c'est-à-dire une structure architecturale qui assure le soutien du corps mais qui peut en même temps se mouvoir. Cette charpente est constituée des os. Le corps possède, d'autre part, un moteur qui rend ses mouvements mécaniques ou déplacements possibles, c'est-à-dire un système dynamique auquel nous inclurons toutefois une fonction peu mobile, celle d'assurer la posture au repos. Ce moteur, c'est la **musculature**.

LES OS

Les os représentent la structure des lois et des principes dans lesquels nous vivons, donc aussi l'autorité, le support matériel, affectif et social.

Un problème au niveau d'un ou des os est très souvent relié à de la résistance, de la révolte ou de l'impuissance face à une personne représentant l'autorité ou face à une situation régie par une loi ou un principe du monde dans lequel nous vivons.

Rachitisme

C'est une maladie systémique qui affecte l'état général du corps. L'enfant ou la personne est souvent retardée dans sa croissance, elle est donc en général de plus petite taille que la moyenne. Cette maladie résulte souvent d'un manque d'amour, de support et de protection.

Fracture des os

Elle est souvent reliée à une révolte contre une personne ou un organisme qui représente l'autorité. Pour nous, ce peut être le conjoint, le père ou la mère ou encore le professeur, le patron, le gouvernement, etc. La situation de l'os fracturé nous révélera aussi l'objet de la révolte. Exemple: une fracture à la jambe indique une révolte parce que l'on se sent arrêté dans notre désir d'aller dans notre direction. La fracture est comme la coupure que l'on voudrait opposer à l'autorité.

Ostéomyélite

C'est une infection du tissu osseux. Comme les autres maladies en "ite", ce peut être un signe de colère contre l'autorité ou les lois en place.

Ostéoporose

L'ostéoporose est une décalcification des os qui deviennent poreux. Elle est souvent signe d'un découragement ou d'une lassitude profonde d'être en lutte soit avec une personne représentant l'autorité ou une loi intraitable.

Cancer des os (Voir le chapitre X).

Entorse ou foulure

Elle est caractérisée par une extension violente et une rupture des ligaments. Elle est aussi une façon de vouloir se couper de l'autorité mais d'une manière moins drastique que dans la fracture. (Voir au chapitre VI, "Moi et mon accident de bicyclette", où j'avais voulu me couper de l'autorité de ma mère et je m'en sentais coupable.)

Articulation

Une articulation est le point où s'assemblent deux ou plusieurs os. On l'appelle également jointure. Toute douleur aux points d'articulation du corps est très souvent un signe de manque de flexibilité, ce qui occasionne de la raideur.

Dépôts de calcium dans les articulations

Ils sont souvent reliés à des pensées dures envers l'autorité à laquelle je ne veux pas me plier.

Arthrite (rhumatisme)

Affection du système locomoteur et de ses composantes, c'est-à-dire les os, les muscles, les tendons et les articulations. Elle est caractérisée par de la raideur et de la difficulté à utiliser ses articulations. L'arthrite est un terme général qui indique une inflammation d'une articulation tandis que le mot rhumatisme implique la présence d'une douleur particulière ressentie au voisinage d'une articulation ou même à distance. Elle est souvent reliée à de la rigidité dans ma pensée parce que je suis trop exigeante envers moi-même ou les autres. Ce manque de compréhension ou de tolérance envers moi-même ou envers mon entourage m'amène à me critiquer ou à critiquer les autres.

Yvonne souffrait d'arthrite déformante

Yvonne se critiquait continuellement. Appartenant à la classe des perfectionnistes, tout ce qu'elle faisait n'était jamais assez bien. A la moindre petite erreur, c'était pour elle une catastrophe. Alors que d'autres en auraient ri, pour Yvonne c'était un drame. Elle disait: "J'ai de gros défauts, je suis paresseuse, je n'ai pas d'allure, je ne comprends jamais rien...". Elle n'avait jamais réalisé à quel point elle était intransigeante envers elle-même. Quand elle le comprit et qu'elle changea son attitude, elle pu remettre des chaussures régulières avec talons hauts, ce qu'elle n'avait pu se permettre depuis des années. Les autres formes d'arthrite sont aussi reliées à la critique.

L'arthrite rhumatoïde

L'arthrite rhumatoïde est la plus importante des affections articulaires. Elle est plus généralisée dans l'organisme que localisée à une articulation et peut conduire à une infirmité. Dans ce cas, la critique est tournée vers l'autorité. Il peut y avoir un refus total de se plier à une personne ou un organisme, gouvernemental ou autre.

Goutte et arthrite goutteuse

Cette maladie se manifeste par des crises aiguës de douleur articulaire. L'arthrite goutteuse se manifeste dans 50% des cas au gros orteil. Elle est caractérisée par des douleurs localisées à une seule ou plusieurs articulations et par l'élévation du taux d'acide urique dans le sang. Ici, la critique vient du fait que je suis peut-être trop dominatrice. Je voudrais que les choses se passent selon mes vues ou mes plans.

Arthrose

L'arthrose est une maladie d'usure articulaire des os. C'est souvent un signe de durcissement ou de froideur de la pensée envers une personne qui peut représenter l'autorité, à moins que ce ne soit un organisme.

François fait de l'arthrose aux vertèbres cervicales

François a mal au cou depuis 10 ans. Il ne peut tourner la tête vers la droite sans en ressentir une vive douleur. À l'examen clinique, on diagnostique de l'arthrose au niveau des vertèbres cervicales. Après des années de traitements, dont les derniers avec un chiropraticien, François avoue se sentir impuissant face à son problème. Il entend alors parler de l'approche que j'ai face aux maladies et prend rendez-vous avec moi. Quelle est donc la situation que François refuse de regarder? Heureux en ménage et au travail, rien ne laisse supposer qu'il y a une situation où il s'endurcit pour ne pas y faire face. Il ressort de la thérapie qu'il y a environ dix ans, il a eu une querelle avec un frère qu'il aimait beaucoup. Il s'est coupé de ce dernier et refuse de lui ouvrir son coeur à nouveau. Il endurcit ses propres sentiments. Pourquoi ne peut-il tourner la tête à droite? Parce que c'est avec son côté rationnel qu'il juge que son frère a eu tort.

Laurette fait de l'arthrose aux jambes et aux hanches

Laurette a vécu 37 ans avec un homme tyrannique qui l'empêchait d'avoir des amis ou de voir sa famille. Elle lui était soumise par principe. Un jour, n'en pouvant plus, elle le quitte et se retrouve dans un petit appartement, seule et malade. Elle le tient responsable d'avoir brisé sa vie et s'en veut à elle-même d'avoir épousé cet homme alors qu'elle en aimait un autre. Toute cette rancoeur envers elle-même, son passé et son ex-conjoint lui font développer des pensées de dureté qui l'empêchent d'avancer, de voir la vie avec un regard nouveau. C'est ce que lui manifeste son arthrose aux jambes et aux hanches.

LES MUSCLES

Les muscles représentent l'effort, la motivation et le travail. Ils transforment l'énergie de la pensée en actions. Ils forment une réserve d'énergie, c'est pourquoi ils comportent une fonction de récupération pour refaire cette réserve. Un problème au niveau musculaire est souvent relié à l'effort.

La douleur et la fatigue musculaire

Elles sont souvent dues à un excès d'efforts dans un ou des activités. L'organisme humain manifeste alors un besoin de repos, de détente.

La fatigue mentale

Elle s'accompagne de fatigue physique et est souvent reliée à un manque de motivation.

Myosite

C'est une inflammation d'un tissu musculaire. Elle est souvent reliée à de la colère face à certains efforts que je dois faire ou à un travail que je me sens obligé d'accomplir mais pour lequel j'ai peu ou pas de motivation.

Myasthénie

C'est une perte de la force musculaire. Elle est caractérisée par une fatigue des muscles volontaires. Souvent reliée à une perte de motivation, à du découragement ou à tout effort nous semblant vain.

Dystrophie musculaire

On appelle ainsi un ensemble de maladies qui se caractérisent par la dégénérescence progressive de certains groupes musculaires sans atteinte importante au reste du système nerveux. Très souvent reliée à une forme d'autodestruction parce que l'on se sent "battu" d'avance. Il peut s'agir d'un refus de faire des efforts dans une vie qui ne nous intéresse pas. (Voir le chapitre X).

Nous élaborerons maintenant sur: la tête (visage, front, yeux, oreilles), le cou, les épaules, les bras, les coudes, les poignets, les mains, les doigts, la colonne vertébrale, le diaphragme, les hanches, le bassin, les fesses, les cuisses, les genoux, les mollets, les chevilles, les pieds et les orteils.

LA TÊTE

Elle correspond à ma partie la plus spirituelle. Elle est située au sommet de mon corps. C'est par ma tête principalement, et par les organes des sens qui y sont situés, que j'entre en contact avec ce monde. C'est aussi de là que partent toutes les informations pour la mobilité et le fonctionnement de mon corps. On connaît l'importance du cerveau. Si, par exemple, l'enfant manque d'oxygène au cerveau à la naissance, tout son corps en est affecté. C'est aussi dans la tête que sont localisés mes chakras (centres d'énergie) supérieurs qui me permettent de prendre conscience de ma véritable nature. C'est par ma conscience que je peux maîtriser ma vie, d'où l'importance de l'éveiller. J'ai besoin de ma tête pour cela.

Les maladies au niveau de ma tête concerneront donc **mes contacts avec les autres, mon autonomie.** Plus je suis conscient, plus je suis autonome, c'est-à-dire libre.

C'est grâce au développement de mes chakras supérieurs que j'arriverai à la compréhension de **ma spiritualité,** c'est-à-dire comprendre le "JE SUIS" dont parlait Jésus ou comprendre ce que signifie être Enfant de Dieu. Il faut cependant équilibrer ses chakras inférieurs avant de vouloir développer ses chakras supérieurs sinon la personne risque de vivre un déséquilibre entre son corps physique et ses corps énergétiques plus subtils.

Tumeur au cerveau

Les tumeurs, comme les kystes, sont des proliférations anormales de cellules. Elles résultent souvent de chocs émotionnels. Situées à la tête, elles signifient une forme d'entêtement ou le refus de changer ses schèmes de pensée. Une personne peut aussi s'entêter à retenir des peurs, de la rancune ou de la haine.

Louise a une tumeur au cerveau

Louise fréquente un homme depuis quelques mois et se refuse à des relations sexuelles avec lui, car dans sa pensée, ils ne sont pas mariés. Aussi, lui promet-il de l'épouser, ce qui la convainc de retirer ses interdits. Elle devient enceinte et lorsque son ami apprend cette nouvelle, il la quitte. Elle met au monde un fils et conserve une grande haine envers cet homme. Elle aime et hait son fils à la fois, parce qu'il lui rappelle cet homme. Elle développe une tumeur au cerveau. Son choc émotionnel résulte de l'abandon. Mais pourquoi une tumeur à la tête? Parce que sa haine provient du fait qu'il a ruiné son idée: celle de se marier vierge ou du moins sans y être obligée. Pour elle, il a ruiné sa vie et ses chances de bonheur.

Méningite

La méningite est une inflammation des méninges (membranes entourant le cerveau et la moëlle épinière). Comme nous l'avons vu au chapitre des maladies reliées à la contrariété, les maladies se terminant en "ite" sont souvent reliées à la colère.

Françoise et son fils, Emmanuel

Françoise a déjà une fille qui doit commencer la maternelle l'année suivante, elle songe donc à retourner sur le marché du travail. Puis, elle se retrouve de nouveau enceinte et songe à l'avortement. Son mari lui dit que si elle passe à l'action, c'est le divorce. Comme Françoise ne veut pas se retrouver devant un divorce, elle garde l'enfant, mais à contre-coeur. L'enfant naît, c'est un garçon et son mari est fou de joie d'avoir "un fils". L'enfant présente toutes sortes de complications, il est continuellement malade, pleurant des nuits entières. Dans son exaspération, Françoise dit à son mari: "Tu l'as voulu ton gars, endure-le maintenant." A l'âge de huit mois, l'enfant fait une méningite car il est en colère contre sa mère, et d'ailleurs, dès qu'elle s'approche de lui, il met ses petites mains sur ses oreilles, ne voulant pas l'entendre. Le lendemain du jour où elle lui explique que ce n'était pas de lui qu'elle ne voulait pas, mais de la situation, et qu'elle lui dit qu'elle l'aime et se réconcilier avec lui, il prononce "maman" pour la première fois.

Céphalée ou mal de tête

Le mal de tête est souvent le résultat de tensions, de pressions que l'on se met dans ce que l'on doit accomplir (soit que l'on veuille tout comprendre, être parfait ou craindre l'erreur). Il peut également s'agir d'une peur de ce qui va arriver.

Migraine

La migraine est une forme de mal de tête violent souvent

accompagné de nausées. Elle a souvent pour cause une grande frustration dans son désir d'être reconnu ou apprécié. Il peut également s'agir d'un rejet de sa sexualité relié à des attouchements incestueux vécus dans l'enfance ou à l'adolescence. Les nausées sont associées au désir de rejeter quelque chose. La personne devrait rechercher, dans ses migraines, si elle veut rejeter quelque chose de sa mémoire.

Viviane a un frère qu'on lui préfère

Viviane a un frère que ses parents regardent comme un demi-dieu. Parce qu'il est un garçon, tout lui est permis et il n'a pas à participer aux travaux ménagers, car selon la conception des parents, c'est le champ d'action des femmes. Lui, peut songer à l'université, conduire la voiture, etc. Viviane, très tôt, développe une aversion de sa féminité. Chaque mois, au moment de ses règles, elle a des migraines tenaces qui la clouent au lit. Pour "couronner" le tout, elle épouse un homme très en vue, de qui elle devient l'ombre, et de qui elle n'aura que des garçons. De plus, Viviane souffrira, une bonne partie de sa vie, de diarrhées chroniques. Rejet d'elle-même et de sa situation de femme.

La névralgie

La névralgie est une douleur ressentie sur le trajet d'un nerf sensitif. Elle traduit très souvent une grande tension intérieure qui peut provenir d'un sentiment de culpabilité ou de la peur de ne pas être correcte.

Paranoïa

La paranoïa est une maladie mentale se développant insidieusement et caractérisée par des idées persistantes ou obsessions. Par exemple, la personne peut croire que les autres lui en veulent ou que la vie s'acharne à démolir ce qu'elle construit, ce qui l'amène à être constamment sur la défensive. Le comportement, le langage, le raisonnement de la personne ne sont pas altérés; elle peut passer pour un être sain (elle est d'ailleurs souvent supérieurement douée), jusqu'au moment où elle se laisse aller à sa divagation particulière qui devient, avec le temps, le thème central sur lequel elle concentre toute son imagination. Cette maladie se développe le plus souvent chez des êtres qui ont une sensibilité extrême, qui sont facilement blessés, qui manquent d'humour, sont égoïstes, orgueilleux, querelleurs, amers et pleins de ressentiments. Ils sont également souvent trop sévères envers eux et les autres. L'une des causes qui déclenche cette maladie peut être l'insuccès à atteindre des buts trop ambitieux.

Pour s'en libérer, la personne doit en prendre conscience, l'accepter et travailler à éliminer ses pensées négatives et développer davantage un esprit positif. Si, de plus, la personne décide de se faire encadrer par une personne compétente, cela ne peut que lui être salutaire afin de surmonter ce désordre mental.

Psychose, névrose ou dépression

Ces maladies peuvent être reliées à l'emprise, la manipulation ou encore résulter d'émotions intenses non réglées. Souvent, on donnera aux personnes atteintes de l'une ou l'autre de ces maladies des antidépresseurs qui agiront au niveau des effets, et ceci, de façon temporaire. Il s'ensuit généralement une intoxication à long terme qu'il faudra aussi corriger. Les véritables causes sont psycho-émotionnelles et c'est à ce niveau qu'il faut aider la personne.

L'Être humain possède sept centres d'énergie (chakras) situés le long de la colonne vertébrale, du coccyx jusqu'au-dessus de la tête.

Le flux d'énergie descend de chaque côté du corps en partant de la tête, puis remonte par les centres d'énergie, en partant du bas de la colonne vertébrale (coccyx). (Voir le chapitre XIX.)

Le plexus ou centre solaire, situé au-dessus du nombril, est le centre des émotions et des désirs. Il a une grande influence sur le système digestif. Le centre solaire est relié au centre cardiaque (situé au niveau du coeur) et au centre frontal (situé entre les deux yeux, siège du système nerveux).

LES CENTRES D'ÉNERGIE (CHAKRAS)

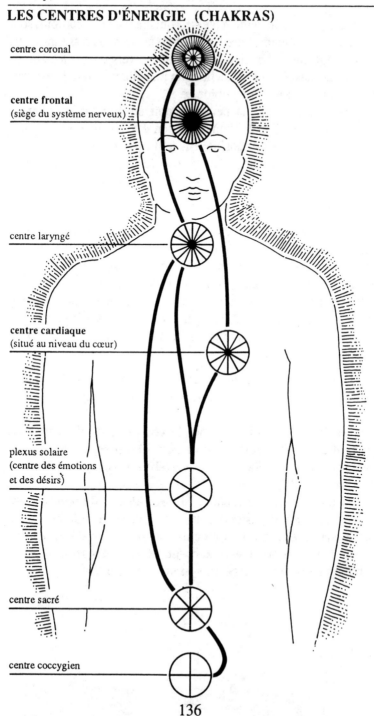

centre coronal

centre frontal
(siège du système nerveux)

centre laryngé

centre cardiaque
(situé au niveau du cœur)

plexus solaire
(centre des émotions
et des désirs)

centre sacré

centre coccygien

Si je vis beaucoup d'émotions, j'utiliserai beaucoup d'énergie de mon centre solaire, défavorisant ainsi les centres cardiaque et frontal. Ce qui explique que lorsqu'une personne vit une émotion forte, elle peut avoir des problèmes avec son coeur, comme des palpitations, et son système nerveux en est affecté, ce qui peut amener des pleurs, des pensées sombres, de défaite et autres. Observez-vous quand vous avez peur (la peur est une émotion): le coeur bat très rapidement et, par la suite, vous pouvez ressentir un mal de tête. À long terme, trop d'émotions peuvent donner naissance à des problèmes aux systèmes digestif, cardiaque ou nerveux.

La plupart des personnes vivant ce type de maladie sont des personnes très émotives et parfois psychiques (capacité de ressentir ce que les autres ressentent ou de voir au-delà des apparences). Aussi, est-ce sur la maîtrise des émotions qu'il faut travailler si l'on veut vraiment les aider ou s'aider soi-même. (Voir le chapitre XI). Les agents responsables de beaucoup d'émotions sont très souvent les inquiétudes, les attentes, la rancune et la haine.

LE FRONT

Le front représente ma manière d'affronter la vie avec mon intelligence. Un front **étroit** peut révéler une étroitesse d'esprit, ce qui signifie que j'ai des idées bien arrêtées, des principes auxquels je tiens. Un front **large** peut dénoter une grande ouverture d'esprit. Un front **carré** dénote une façon de penser logique, analytique, de type rationnel. S'il est **rond**, la pensée sera plutôt du type non-rationnel, c'est-à-dire intuitive et j'utiliserai beaucoup mon imagination.

Si j'ai des **boutons sur le front** (voir peau), il est possible que je vive de l'impatience parce qu'on ne respecte pas mes idées.

Se blesser au front indique une culpabilité dans le fait d'avoir agis sans tenir compte de l'opinion d'autrui.

LE VISAGE

Le visage représente mon individualité. Chaque visage est unique. C'est la partie de moi-même que je montre aux autres. Tout est écrit sur le visage: le chagrin, la tristesse accumulée, la méfiance, la taquinerie, l'introversion ou l'extraversion, l'ouverture au monde, la résistance, la joie, la paix, le bonheur, la sérénité, la compassion et l'amour. C'est avec mon visage que j'entre en contact avec mon entourage. Il peut traduire un désir d'attirer ou de repousser les autres. Les manifestations de déséquilibre du visage seront exprimées par ma peau et mes organes des sens. Pour la peau, voir le chapitre XIV.

Myriam a des plaques au visage

Myriam est adoptée à l'âge de 3 ans et demi. Elle s'est sentie abandonnée et revit dans ses relations affectives des formes d'abandon. C'est après une dernière séparation qu'elle développe des plaques au visage. En thérapie, je l'amène à conscientiser que ces plaques la protègent d'un nouveau lien affectif, puisqu'en se sentant moins jolie, elle se coupe des personnes et plus particulièrement des hommes. Elle le comprend mais ne peut cependant pas s'expliquer pourquoi au décès de son père elle a eu une telle irruption de ces plaques au visage alors qu'elle était seule. L'explication en est que dans les moments où elle a le plus besoin d'affection, d'être consolée, le risque de se laisser aimer devient plus grand. Inconsciemment, elle intensifie sa barrière qui traduit: "Ne m'approchez pas. Je préfère être seule plutôt que de vous laisser m'apprivoiser et que vous m'abandonniez par la suite."

Tics nerveux

Les tics nerveux sont des mouvements brefs, automatiques, involontaires et répétés et sont souvent le résultat d'une grande tension intérieure reliée dans bien des cas à un refoulement d'émotions.

J'ai connu un homme qui avait beaucoup de tics nerveux et qui me disait que lorsqu'il vivait une émotion, il la rangeait dans un petit tiroir à l'intérieur de lui-même (au sens figuré). Lorsqu'il me consulte, il me dit que depuis quelques années, il n'a plus de petits tiroirs et ne sait plus quoi faire de ses émotions. Un grand ménage des tiroirs s'imposait et il a dû développer l'attitude de ne pas mettre en boîte ses émotions.

LES YEUX

Les yeux représentent ma capacité de voir. De **grands** yeux indiquent une curiosité d'esprit sans retenue alors que de **petits** yeux dénotent de la réserve et parfois de la méfiance (l'esprit est davantage analytique). L'oeil **droit** représente mon oeil rationnel, ce que je regarde avec ma logique, mon raisonnement. L'oeil **gauche** représente mon oeil émotionnel, ce que je regarde et me touche émotionnellement.

Conjonctivite

C'est une inflammation des membranes qui tapissent l'intérieur de l'oeil et des paupières. Il y a fort probablement de la colère dans ce que j'ai vu. (Voir le chapitre XII).

Myopie

C'est une difficulté à voir de loin. Il y a quelque chose dans l'avenir immédiat qui me fait peur. Les choses et les événements m'apparaissent plus gros, plus flous et plus inquiétants qu'ils ne le sont en réalité. Les événements me semblent imminents, mais je ne suis pas prêt à les voir. Qu'est-ce que je ne veux pas voir distinctement arriver? La peur de la séparation crée souvent la myopie, comme la peur d'une nouvelle route à prendre.

Mylène est myope

C'est vers l'âge de neuf ans que Mylène commence à montrer des signes de myopie. À l'école qu'elle fréquente, on parle constamment de la destruction des forêts par les pluies acides, les menaces de guerre nucléaire, la disparition de la couche d'ozone autour de la Terre, etc. Comme Mylène a une imagination des plus fertiles, elle s'inquiète des événements du futur qui pourraient survenir. Inconsciemment, elle a peur de ce que le futur lui réserve. Quand elle en prend conscience et qu'elle décide de faire confiance à la vie, sa vue s'améliore graduellement.

Presbytie (difficulté à voir de près)

Qu'est-ce qui est près de moi et que je ne veux pas voir? Peut-être mon problème de poids? Mon travail que je n'aime plus? Mon appartement? Mon conjoint? Ma situation financière?...

Strabisme

Le strabisme est un défaut de parallélisme des axes visuels des yeux. Il peut être soit convergent, soit divergent, selon que les axes sont déviés en dedans ou en dehors du champ visuel. Souvent, il est signe que la personne ne veut pas voir les choses telles qu'elles sont. Il peut aussi y avoir un désir d'échapper à ceux qui sont menaçants pour elle. Elle veut se retrouver seule ou avec une personne en qui elle a confiance.

Jennifer et le strabisme

Jennifer souffrait de strabisme depuis sa naissance. Elle était née à la maison, dans une atmosphère de panique. Sa mère attendait l'ambulance, et finalement, ce sont les policiers qui sont venus la chercher, de même que Jennifer. Celle-ci aurait préféré ne pas "apercevoir" ce qui se passait, et si cela avait été possible, elle serait retournée dans le ventre de sa mère. Le traumatisme de panique s'est manifesté par des spasmes des muscles oculaires.

Cataracte

La cataracte est une opacité du cristallin de l'oeil. Il y a un voile sur les yeux, l'avenir nous paraît sombre, triste et sans espoir d'amélioration.

Jeanne-d'Arc avait, disait-on, des cataractes depuis la naissance

En fait, Jeanne-d'Arc a eu deux ans pendant la guerre. Elle se souvient que ses parents l'amenaient, avec ses frères, se cacher dans le sous-sol où il faisait sombre. Jeanne-d'Arc ne savait pas ce qui se passait et elle avait très peur. Ses cataractes proviennent de ces événements très chargés émotionnellement. Quand elle en prend conscience et qu'elle s'en libère, graduellement le voile de ses yeux se lève. Je me souviens qu'elle criait au miracle, car en prenant l'autobus, elle avait pu voir les enseignes des magasins, ce qu'elle n'avait jamais pu voir auparavant.

L'astigmatisme

L'astigmatisme est un défaut dans la courbure du cristallin ou encore un défaut dans les variations locales de l'indice de réfraction des fluides à l'intérieur de l'oeil. Il est souvent relié à un refus de voir la vie telle qu'elle est, avec sa beauté, ou encore, au refus de voir sa propre beauté.

Glaucome

Le glaucome est dû à une pression excessive des liquides intra-oculaires qui peut endommager le nerf optique et conduire à la cécité. Il peut s'agir du refus de voir la vie, suite à une pression émotionnelle de longue date non pardonnée. Il est plus fréquent chez les personnes âgées qui disent: "J'en ai assez vu."

Kératite

La kératite est une inflammation de la cornée qui, comme les autres maladies en "ite", est reliée à de la colère dans ce que la personne voit. (Voir "L'ulcère à la cornée de Linda" au chapitre XII).

LES PAUPIÈRES

Les paupières représentent notre besoin de repos, de paix. Elles servent à protéger nos yeux, mais aussi à les fermer, comme on tire les rideaux lorsqu'on désire dormir ou se reposer.

Une personne souffrant d'irritation aux paupières me consulte un jour pour en connaître la cause. Je lui demande si elle ne vit pas de l'irritation face à son désir de se reposer. Elle me répond: "Le dimanche devrait être une journée de repos, mais comme je suis seule avec mes enfants, je fais le dimanche ce que je n'ai pas le temps de faire durant la semaine. En définitive, je n'arrête jamais." Cela lui fait vivre effectivement de l'irritation. Je lui suggère de s'organiser du temps de repos de façon prioritaire. Ainsi, elle y gagna plus d'énergie pour le reste de ses activités et le malaise disparut.

Les paupières recouvrent aussi les glandes lacrymales. Des

141

paupières gonflées sont souvent le signe d'une tristesse réprimée, de trop de larmes que l'on retient. Les **paupières descendantes** sont souvent signe de tristesse.

Clignement des paupières

Mouvement subit des paupières qui se ferment et se relèvent de façon répétitive. Très souvent, c'est un signe de grande tension intérieure. Les muscles des yeux sont sollicités outre-mesure.

Chalazion

C'est une petite tumeur située dans la paupière. Il est souvent relié à un petit choc émotionnel dans ce que l'on a vu.

L'orgelet

Il constitue une inflammation de la paupière de l'oeil et provient d'un refoulement de tristesse et de colère parce que, semble-t-il, les autres ne voient pas ce qu'on voudrait qu'ils voient. Si vous vous rappelez, je vous ai dit qu'étant enfant, j'ai fait des orgelets à répétition. Ma mère m'a tellement mis d'Agérol (ce liquide brun foncé) dans les yeux, que j'en étais venue à croire que c'était ce qui avait donné la couleur à mes yeux. Si je regarde en arrière, ce que je pensais à l'époque, c'était: "Elle ne voit pas tous les efforts que je fais." Cela s'appliquait aussi bien à ma mère, qu'à mes professeurs et, plus tard, à mes patrons. À l'âge de onze ans, une amie me dit un jour que sa tante faisait passer les orgelets. Je me rendis chez celle-ci et elle me mit son alliance en or sur l'orgelet et me dit: "Va t'en et ne me dis pas merci." Ce que je fis. Ce fut mon dernier orgelet. Don de la dame? Pouvoir de mon subconscient? Mais sûrement pas règlement de ma colère, car par la suite, je fis des amygdalites à répétition jusqu'au jour où on m'enleva les amygdales. Ce fut ensuite les laryngites... **Voilà pourquoi, il est si important d'identifier la cause d'un malaise, sinon on ne fait qu'en déplacer la manifestation.**

LES OREILLES

Elles représentent ma capacité d'entendre. **Mastoïdites, otites** sont souvent reliées à de l'irritation ou de la colère suite à ce que j'entends. Elles peuvent également être reliées à ce que j'aimerais entendre ou au fait que l'on ne m'écoute pas. (Voir le chapitre XII).

La surdité (ou difficulté à entendre ou perte du sens de l'ouie)

Elle provient très souvent du fait que **je n'écoute pas.** Il se peut que j'aie peur de ne pas savoir quoi répondre, alors je pense pendant que l'autre parle au lieu de l'écouter. Ou ce peut être par habitude que je n'écoute pas. Il est aussi possible que je me ferme aux autres parce que je ne veux pas qu'on me dise quoi faire; cas typique de la personne entêtée, d'où vient la maxime: "Fais à ta tête, c'est à toi les oreilles." Les ambitieux, les orgueilleux sont souvent entêtés. Ils ne veulent entendre que ce qui fait leur affaire. On peut encore se fermer par peur d'être critiqué ou manipulé. Une personne âgée, qui était atteinte de surdité, disait: "J'en ai assez entendu."

Dans ma famille, on disait que la surdité était héréditaire. J'avais moi-même des problèmes d'audition. Un jour, mon conjoint passa une journée entière chez mes parents et le soir, il me dit: "As-tu remarqué, Claudia, que chez toi, tout le monde parle et personne n'écoute." Cette prise de conscience m'a aidée à me libérer de mes problèmes d'audition. Je me suis mise à écouter les autres, j'en suis devenue thérapeute...

Bourdonnements d'oreille (bruit sourd, tintement, sifflement, etc.)

Ils sont souvent un signe de tension dans la tête. On se dit: "Une personne pense à moi." Mais, c'est souvent nous qui pensons trop à elle. Les ondes de notre pensée peuvent aussi être brouillées par la peur ou la résistance de ce qu'on a à nous dire.

Vertige

C'est un étourdissement qui peut s'accompagner de troubles de l'équilibre. On peut avoir l'impression qu'une situation évolue trop vite et on a le désir de la fuir. (Voir au chapitre IX).

Nous verrons le **nez** et la **gorge** avec le système respiratoire et la **bouche** avec le système digestif.

LE COU

Il représente ma capacité de regarder plusieurs côtés d'une situation.

Le torticolis

C'est une raideur dans le cou, si cela me fait mal lorsque je tourne la tête, cela peut signifier que je manque de flexibilité, que je veux voir seulement ce qui fait mon affaire. Si cela me fait mal surtout lorsque j'incline la tête, cela peut signifier que je refuse de m'incliner devant une personne ou une situation.

Marguerite avait mal au cou depuis des années

Marguerite avait une raideur tenace dans le cou depuis plus de trois ans. Cette raideur l'empêchait de tourner la tête. Elle avait tout essayé: massages, acupuncture, homéopathie, etc. Rien n'y faisait. Au cours de la thérapie, nous découvrons qu'elle vit une situation qu'elle ne veut pas regarder depuis trois ans. Trois ans auparavant, sa mère décède et lègue tout son héritage à l'une de ses filles qui s'était occupée d'elle avant sa mort. Ses frères, révoltés contre la situation, tournent le dos à cette soeur et menacent Marguerite d'agir de la même façon envers elle si elle reparle à cette soeur. Marguerite se sent tiraillée: d'un côté, elle ne veut pas avoir ses frères à dos, mais en même temps, elle se sent malheureuse de se couper de sa soeur qu'elle aime. Aussi, à cause de cette querelle de famille finit-elle par faire ses propres affaires et s'occuper de sa propre famille. Mais cette situation, dont elle ne veut pas voir tous les aspects, lui est devenue intenable. Aussi, après la thérapie, elle décide de parler à ses frères et de renouer avec sa soeur. Son mal de cou disparaît.

LES ÉPAULES

Elles représentent notre capacité de porter des charges, d'en prendre sur soi. **Avoir mal aux épaules,** signifie qu'on peut avoir l'impression d'en avoir trop à faire. On se sent "surchargé". Nos responsabilités envers les autres nous pèsent lourd; on veut prendre la responsabilité du bonheur des autres sur nos épaules. On peut également se sentir écrasé par le poids des difficultés de notre vie. Il s'accompagne souvent d'un dos rond.

Il est grandement temps d'accepter de faire de son mieux et de laisser le reste à Dieu.

L'omoplate

L'omoplate est l'os plat et mince situé à la partie supérieure de l'épaule. Avoir mal à l'omoplate est souvent relié au fait de se sentir écrasé par une autorité.

LES BRAS

Ils représentent notre capacité de prendre. Ils sont le prolongement du coeur. On prend quelqu'un qu'on aime dans ses bras. Ils servent également à exécuter les ordres et sont reliés à ce que nous faisons dans notre vie, par exemple, le travail.

Le mal de bras est souvent relié à l'impression que j'en **prends trop** ou que c'est moi qui doit tout prendre. Il peut aussi être relié au fait que je me retienne de prendre quelqu'un dans mes bras. (Voir dans au chapitre IX, le cas de Marc qui avait les bras engourdis la nuit.) Il peut aussi s'agir d'une situation que je ne prends pas.

La bursite

La bursite est une inflammation de la bourse séreuse de l'épaule ou du coude. Elle est souvent reliée à une colère retenue. Il se peut que je pense en mon for intérieur: "Je le battrais." Je retiens mon bras de frapper une personne ou une situation. Un participant me disait qu'il ne vivait jamais de colère, pourtant il souffrait d'une bursite. Pour lui, la colère était une explosion de violence, d'agressivité. Comme il retenait toute forme d'agressivité, il croyait ne pas vivre de colère. L'agressivité peut être silencieuse, elle créera cependant des manifestations exprimées par des malaises, infections, etc., comme une bursite.

L'épicondylite

L'épicondylite est une inflammation de l'apophyse de l'extrémité inférieure de l'humérus. Elle est souvent reliée à une situation qu'on ne prend pas.

LES COUDES

Ils représentent le changement de direction. Comme le coude est une articulation, si j'ai mal aux coudes, cela m'indique un manque de flexibilité, une résistance face à un changement de direction.

Voir "Nicole et sa tendinite" au chapitre V.

LES POIGNETS

Ils représentent la flexibilité de ce que j'exécute avec ma main. Avoir mal au poignet peut signifier un manque de flexibilité à exécuter les ordres que je reçois.

LES MAINS

Elles représentent ma capacité de donner et de recevoir. Elles sont aussi l'instrument relié à ce que nous exécutons, par exemple, notre travail. (Voir "Louis a de l'eczéma aux mains" au chapitre XII). Quand des mains pleines d'eczéma saignent, c'est qu'il y a une perte de joie souvent reliée à ce qu'on accomplit ou à ce que l'on souhaiterait accomplir dans sa vie.

La crampe de l'écrivain

Elle est caractérisée par la difficulté à écrire ou à utiliser sa main. Si c'est à la main droite, cela est souvent relié à la retenue de donner (son amour, sa tendresse ou son pardon), de s'ouvrir, de laisser aller. S'il s'agit de la main gauche, cela est souvent relié à la difficulté de recevoir (l'amour, la tendresse, l'aide, etc.)

LES DOIGTS

Ils représentent les détails du quotidien. En ce qui concerne les coupures ou les brûlures, voir le chapitre VI. La tension et les peurs occasionneront plutôt des crampes.

Le pouce

Il sert à mettre de la pression, à pousser, à apprécier (pouce en l'air) ou déprécier (pouce en bas). *Il représente la force et la pression et, dans la médecine chinoise, les poumons qui sont le symbole des échanges.* Avoir mal au pouce nous renseigne sur la qualité de nos échanges. Peut-être nous sentons-nous trop poussé? Se blesser au pouce peut signifier que nous nous sentons coupable de trop pousser les autres. Un pouce tenu à l'intérieur de la main est un signe d'introversion et peut signifier un désir de mourir (étouffer ses poumons qui sont la vie).

L'index

Il représente l'autorité. Une personne qui pointe de l'index très souvent a rejeté l'autorité mais l'exprime à son tour. Je me souviens d'un ami à qui j'en faisais la remarque et qui me dit: "Le doigt de mon père." L'index correspond au gros intestin. C'est pourquoi les enfants qui ont peur de l'autorité ont souvent des coliques, des colites ou de la constipation.

Le majeur

Il représente la sexualité et correspond à l'appareil génital relié au coeur et à la circulation. La sexualité et la créativité vont de pair. Lorsqu'une personne a mal à ce doigt ou qu'il est abîmé, c'est souvent un signe de chagrin, de tension, ou bien elle s'est sentie empêchée de réaliser ses désirs. Peut-être s'empêche-t-elle elle-même par manque de confiance?

L'annulaire

Il représente les liens, les unions. C'est le doigt de l'anneau. Quand ce doigt fait mal ou qu'il est abîmé, c'est souvent signe de difficultés dans son union.

L'auriculaire

Il représente la famille et correspond au coeur. C'est pourquoi, si ce doigt fait mal ou s'il est abîmé, c'est souvent signe d'une dysharmonie dans la famille et d'un manque d'amour.

LA COLONNE VERTÉBRALE ET SES 33 VERTÈBRES

Elle représente le support, le soutien et la protection. Si je me sens impuissant, que j'en ai trop lourd à porter, que je ne me sens pas suffisamment supporté, il se peut que j'aie mal au dos et la région affectée pourra m'aider à en identifier la cause.

La colonne vertébrale se divise en cinq régions:

Région cervicale ou nuque

C'est le soutien de ma tête. Quand je me sens la tête lourde parce que je pense que c'est moi qui doit penser à tout, que je n'ai pas suffisamment de support, c'est cette région qui me fait mal.

Région thoracique ou dorsale

Ce soutien se prolonge par ma cage thoracique qui protège surtout mes poumons et mon coeur. Donc, c'est la région de la vie et de l'affectif.

Avoir un dos courbé est un signe d'abattement, d'un manque de confiance en soi et en la vie qui nous paraît lourde à porter. Si, en plus, il y a douleur dans cette région, il se peut que je ne me sente pas suffisamment encouragé ou soutenu au plan affectif, soit par mes parents, par mon conjoint ou mes enfants. Je peux avoir l'impression d'être seule pour porter le poids de la vie.

Bosse de bison

On appelle ceux qui en sont affectés "les bossus". C'est une déformation du dos qui est innée, que la personne a à la naissance. Quel est le poids que transporte la personne d'une vie à l'autre?

Région lombaire

Cette région se situe à la hauteur de mes reins, ce qui fait dire à tant de gens qu'ils ont mal aux reins, en parlant d'un mal de dos dans cette région. C'est la région du plexus solaire (centre des émotions et des désirs).

Lombalgie

C'est un mal de dos situé dans la région lombaire. Elle est souvent associée à la peur de manquer d'argent, de ne pas y arriver,

148

de ne pouvoir réaliser ses désirs. La lombalgie peut être reliée à un sentiment d'impuissance, de tristesse, d'amertume, à un doute réprimé ou un refus de soumission. Il se peut également que la personne en souffrant soit inquiète pour quelqu'un d'autre, d'où l'expression "Prendre les problèmes des autres sur son dos".

Lombago

Communément appelé "tour de rein", il représente souvent une forme de révolte parce que je me sens impuissant face aux difficultés et au poids de ma vie.

Région sacrée

Reliée aux os de mon bassin, elle protège les organes reproducteurs de vie. C'est la région du centre sacré (située entre le pubis et le nombril) que l'on retrouve la plus forte énergie du corps. Si cette énergie est utilisée pour retenir de la haine, de la rancune, de l'orgueil ou des passions (charnelles ou autres...) elle affectera cette partie de mon corps.

Région coccygienne

Elle représente mes besoins de base, ma survie. Avoir mal aux coccyx ou se blesser au coccyx est souvent signe d'une grande inquiétude pour ses besoins de base (nourriture, logement, etc.).

Lorsque je suis partie en Inde, je devais aller dans un ashram où l'on pouvait vivre à peu de frais. J'avais peu d'argent et pas de carte de crédit. Comme cet ashram ne me convenait pas, je décidai de visiter l'Inde et de me rendre dans les Himalayas. Mais, trois semaines plus tard, je n'avais plus d'argent. Je tentai de communiquer avec le Canada pour recevoir de l'argent, mais mes tentatives restèrent vaines. Je suis demeurée pendant plus de vingt jours sans argent. Je me suis vraiment inquiétée pour ma survie. Tout de même ce fut une expérience merveilleuse, car elle m'a donné une foi inébranlable. Je sais aujourd'hui que j'aurai toujours de quoi me loger et me nourrir.

Ce manque de confiance face à ma survie se manifesta d'abord par une blessure au coccyx, puis, par des douleurs persistantes logées au même endroit, qui disparurent le jour où je reçus un chèque de 500$ US. Je cessai donc par la suite de m'inquiéter.

Scoliose: Courbure de la colonne vertébrale vers le côté, elle est en forme de "S".

Lordose: Courbure de la colonne vertébrale vers l'avant (dos rond).

Cyphose: Courbure de la colonne vers l'arrière (dos creux).

La colonne vertébrale est le pilier de l'Être, elle *représente comment on se tient dans cette vie.* Est-ce que je me tiens droit face à mes idées, mes désirs ou est-ce que je cherche à m'esquiver. Je penche soit d'un côté, scoliose (je suis indécis), vers l'avant, lordose (j'ai honte) ou vers l'arrière, cyphose (je sens qu'on me pousse, je cambre le dos).

Hernie

Tumeur formée par la sortie d'un viscère hors de la cavité qui le contient à l'état normal. *Elle représente le désir de rompre, de sortir d'une situation qui nous est désagréable où l'on se sent obligé.*

Hernie ombilicale

Elle marque le regret d'être sorti du ventre de sa mère. La vie n'est guère intéressante.

Hernie discale

Elle signifie le désir de rompre avec la structure en place où l'on se sent prisonnier. Elle concerne souvent nos responsabilités (travail, famille, etc.).

LES HANCHES

Elles représentent ma détermination pour aller de l'avant. Avoir mal aux hanches signifie souvent qu'on se retient d'aller de l'avant. Les jambes veulent avancer mais les hanches les retiennent, d'où indécision pour aller de l'avant.

LE BASSIN ET LES FESSES

Ils représentent le pouvoir. Lorsque le bassin est large, avec de grosses fesses, la personne peut penser qu'on la limite dans ses pouvoirs et compensera physiquement. Il y a un désir de prendre du pouvoir. Lorsque les fesses sont hautes, il existe souvent un désir de hausser son pouvoir (fréquent chez les gens de race noire). Lorsque les fesses sont petites et collées, cela représente souvent un désir de passer incognito: on ne veut pas être remarqué. Peut-être a-t-on quelque chose à se reprocher? Ou est-ce un signe de timidité (fréquent chez les homosexuels)?

LES JAMBES

Elles représentent la capacité d'aller de l'avant. Le mal de jambe est souvent relié à la peur d'avancer vers de nouvelles situations.

L'oedème aux jambes

L'oedème est un gonflement diffus du tissu sous-cutané par infiltration de liquide séreux. Il est souvent dû au sentiment d'être limité dans notre désir d'aller de l'avant. Je peux penser que j'aimerais changer d'emploi, mais je n'en ai pas les moyens ou encore je ne possède pas les diplômes nécessaires. (Voir le chapitre VIII).

Phlébite

Elle est caractérisée par la formation d'un caillot à l'intérieur d'une veine. Il peut y avoir blocage de la joie face à mon désir d'aller de l'avant, ce qui me fait vivre de la colère et de la frustration. Il se peut que je tienne les autres responsables de mon manque de joie parce que j'attends soit de l'encouragement, soit de l'approbation des autres.

Varices

Les varices sont le résultat d'une dilatation d'une veine. Elles sont reliées aux veines qui transportent le sang, lequel représente la vie et la joie. Lorsque cette vie et cette joie stagnent dans mes veines, c'est fort probable parce que ma vie m'apparaît stagnante, rien n'y bouge à mon goût. Il se peut que ce soit sur le plan affectif, parce que j'attends que l'autre se manifeste, ou sur le plan de mon travail qui m'apparaît monotone.

LES CUISSES

Les cuisses représentent les réserves que je peux utiliser pour mon avancement. Si je suis trop inactif ou que j'accumule plus de réserves que nécessaire (biens matériels, connaissances ou autres) et ce parce que j'ai peur du manque, alors au lieu d'avancer vers ma spiritualité, cela se manifestera par de grosses cuisses.

La cellulite

La cellulite est une inflammation du tissu cellulaire sous-cutané caractérisée par une répartition inégale de la graisse et par de l'oedème (rétention d'eau et de toxines dans les tissus de la nuque, du dos, de l'abdomen, des fesses et des jambes). Quels sont les regrets, les émotions ou les ressentiments que je retiens et qui me retiennent d'aller de l'avant? La peur de l'engagement peut me faire retenir de m'engager à fond dans une relation. C'est très souvent après une union que les femmes développent de la cellulite, surtout si cette union fut tendue.

Nerf sciatique

Il traverse la fesse et la cuisse et descend jusqu'au pied. Il est très souvent relié à des inquiétudes quand on pense ne pas tout avoir ce dont on a besoin pour avancer vers une nouvelle situation (argent, connaissances, aptitudes, potentiel, etc.). Aller vers le spirituel c'est faire confiance en l'abondance divine et en son potentiel divin.

LES GENOUX

Ils représentent ma capacité de plier, de m'incliner Si je ne suis pas suffisamment flexible, que je ne veux me plier aux autres, mes genoux me le manifesteront. Les orgueilleux qui veulent toujours avoir raison auront souvent des problèmes aux genoux.

Se blesser aux genoux

C'est souvent le signe que je me sens coupable de toujours vouloir avoir raison.

152

Genoux qui ne plient pas

Quelle est la situation ou la personne devant laquelle je refuse de m'incliner.

Francine a un genou qui ne plie pas

Francine a un genou qui ne plie pas depuis des années. On lui a fait une intervention chirurgicale qui n'a apporté que peu de soulagement. En thérapie, on découvre que Francine a vécu une situation qu'elle n'a jamais acceptée et à laquelle elle n'a jamais voulu se plier. Sa mère s'était remariée et Francine n'avait jamais accepté son beau-père ni la place qu'il avait prise auprès de sa mère. Lorsqu'elle comprit que cet homme l'avait toujours aimée, à sa manière, et qu'il avait allégé la vie à sa mère, elle lui pardonna et fut prête à s'incliner devant l'autorité qu'il représentait. Son genou reprit sa flexibilité. Elle me raconta par la suite qu'elle avait pu se mettre à genoux, ce qu'elle n'avait pu faire depuis des années.

Dans la majorité des religions, s'agenouiller représente un acte d'humilité.

Eau dans les genoux

C'est une forme d'infection qui provient d'une colère qui bout, car nous manquons de flexibilité. Pour un orgueilleux, rien n'est pire que de rencontrer un autre orgueilleux.

La rotule

La rotule est un os mobile placé en avant du genou. **Avoir mal à la rotule** signifie souvent un manque de flexibilité face à une autorité ou à une loi en place. **Se briser la rotule** est dans bien des cas relié à une révolte contre une autorité devant qui on ne veut pas se plier.

LES MOLLETS

Ils sont le moteur de mes jambes et *représentent ma capacité d'avancer rapidement.* Avoir mal aux mollets donne souvent ce qu'on appelle la crampe du coureur qui est souvent reliée au sentiment que les choses vont trop vite. On veut mettre les freins.

LES CHEVILLES

Elles permettent la flexibilité et la rotation de mon pied, *elles représentent le changement de direction.* Si je ne suis pas suffisamment flexible dans un changement de direction que l'on me demande, je le manifesterai par des maux de chevilles ou des blessures à la cheville. (Voir le chapitre VI, "Mon accident de bicyclette" où ma mère me demandait un changement de direction que j'ai refusé. Je me suis sentie coupable et cela s'est manifesté par une entorse à la cheville.)

LES PIEDS

Ils représentent mon avancement dans la vie. En Inde, on vénère les pieds des grands maîtres. En fait, c'est leur avancement spirituel qu'on vénère. Si j'ai mal aux pieds, je peux avoir l'impression de piétiner sur place, de ne pas avancer dans ma vie.

Les pieds plats

Ils sont caractérisés par l'absence d'une arche sur laquelle mon pied prend un appui solide avec l'aide du talon. Une participante à un de mes ateliers vivait ce problème. Je lui demandai si elle avait l'"impression de manquer d'appui et elle me répondit: "Je n'ai jamais été appuyée dans ma vie, ni par ma mère, ni par mon père, ni par mon mari." Le fait que des enfants naissent avec les pieds plats est souvent dû au fait que la mère ne se soit pas suffisamment sentie appuyée pendant la grossesse. Ces enfants commencent leur vie en ne se sentant pas eux-mêmes suffisamment appuyés (souvent par le père) et selon ce qu'ils vivront par la suite, le problème pourra disparaître ou amplifier.

Pied bot

Le pied bot est aussi appelé "pied de cheval". Il est caractérisé par une déformation de l'ensemble du pied, ce qui empêche la personne de porter normalement sur le sol. Le pied bot peut être inné (de naissance) ou acquis. Il est très souvent relié à la peur de poser le pied dans cette vie ou d'aller de l'avant. Il faut se souvenir que s'il s'agit d'un seul pied, cela nous indique si l'origine est au

154

plan rationnel ou émotionnel. Le pied droit: le rationnel (j'analyse), je juge que cela ne vaut pas les efforts et que je refuse d'avancer. Le pied gauche: le non-rationnel (émotionnel), ma peine, mes peurs m'empêchent d'avancer.

Verrue plantaire

Elle est souvent reliée au fait de se laisser arrêter par des petites choses de la vie ou encore de se freiner dans notre élan d'avancer.

Pieds qui enflent

L'oedème est souvent relié au sentiment de se sentir arrêté, limité. Je me souviens d'une personne qui ne comprenait pas pourquoi ses pieds enflaient alors qu'elle marchait peu. En fait, elle était secrétaire et se sentait limitée dans cet emploi. Elle rêvait d'avoir un commerce. Le jour où elle quitta son emploi de secrétaire pour ouvrir son commerce, ses pieds cessèrent d'enfler.

LE TALON

C'est la partie du pied sur laquelle tout mon corps prend appui lorsque je suis debout; d'où l'expression "perdre pied" signifiant le déséquilibre. Si j'ai mal au talon, cela peut signifier que je ne prend pas suffisamment d'appui dans cette vie. Il se peut que je ne sache pas où je voudrais vraiment être, d'où ma difficulté à prendre appui. Tout comme l'arbre enfonce ses racines seulement dans un milieu qui lui est propice, je peux me sentir "sans racines" dans mon milieu de vie et plus vulnérable.

Marcher du talon

Marcher du talon, au point d'en souffrir, c'est peut-être que je me sens vulnérable, désirant tout piétiner sur mon passage, peu enclin au consensus ou au compromis. Dans les deux cas, j'utilise mal le milieu d'avancement qui m'est propice.

LES ORTEILS

Elles représentent les détails du futur. Lorsque je m'inquiète pour des détails du futur, il se peut que je ressente des crampes aux orteils. Se blesser aux orteils est souvent signe de culpabilité face à des détails du futur. (Voir le chapitre XI).

LES ONGLES

Voir "La peau et ses phanères" au chapitre XIV.

Durillons ou cors aux pieds

Ils peuvent être causés par le port de chaussures trop petites. La peur d'avancer fait contracter les pieds d'où naîtront les durillons.

CHAPITRE XIV

LA PEAU ET SES PHANÈRES

LA PEAU

La peau est l'enveloppe protectrice du corps. Elle y reflète l'état de santé de la personne, mais également tout ce qui s'y passe à l'intérieur.

Une peau boutonneuse

Elle exprime la contrariété intérieure. Elle peut être un signe de rejet de sa personne, surtout si les boutons sont localisés au visage, région de l'individualité. Il peut s'agir également d'un désir de ne pas être approché, d'être laissé en "paix".

Une peau rugueuse

Cela traduit souvent le désir de ne pas être touché. On se protège, on est sur la défensive avec son entourage.

Une peau douce

Elle exprime le désir d'être aimable avec son entourage. On se montre doux envers les autres.

Une peau sèche

Elle est souvent le signe d'une sécheresse dans ses relations. Il y a peut-être un manque d'amour ou de joie, ou encore de la solitude. On peut aussi être trop attentif aux autres et pas suffisamment à soi. On se vide de son eau, on la donne aux autres et l'on est en manque.

Une peau grasse

Elle manifeste un "trop". On a besoin de plus d'espace, on se sent envahi par les autres, ou encore, on a trop d'activités centrées sur soi. Les gens qui ont un cuir chevelu gras ont souvent trop de pensées concentrées sur leur travail.

L'odeur de la peau

Elle traduit les pensées diffusées par les cellules. Une personne qui sent bon entretient de belles pensées. Une personne qui transpire beaucoup, sans pour autant sentir mauvais, est nerveuse ou vit beaucoup de peurs. Les agoraphobes transpirent en général beaucoup. Une personne qui sent mauvais, même après une douche, est souvent intérieurement colérique, rancunière ou remplie de haine.

DÉSÉQUILIBRES DE LA PEAU

Parmi les principaux déséquilibres de la peau, nous retrouvons: l'acné, les boutons, les maladies éruptives (dont l'urticaire, l'eczéma, le psoriasis, le zona, la gale, la rubéole, la roséole, la scarlatine), les furoncles, les abcès, les durillons, les verrues, les ecchymoses (bleus), les brûlures, les coupures, la sclérodermie, le pied d'athlète, le lupus et le cancer de la peau (voir le chapitre X).

L'acné

L'acné se traduit par des lésions de la peau au niveau des follicules pilo-sébacés. Au niveau du visage, l'acné est très souvent reliée à un rejet de sa personne, comme on se rejette, on ne veut pas être approché... L'acné est fréquente chez les adolescents qui se comparent aux autres. Ils sont souvent trop gros, trop maigres, trop grands, trop petits, trop timides, etc.

Lina a de l'acné kystique importante au visage

Lina a dix-sept ans, ne s'accepte pas et souffre, par conséquent, d'acné au visage. Un jour, des garçons passant en voiture et la voyant de dos, lui crient: "Hé, la jolie brune", car elle a de très beaux cheveux. Elle se retourne et les garçons lui font: "Ouf!" Elle prend cette remarque pour un rejet de sa personne et se coupera davantage des autres. C'est à ce moment-là qu'elle veut arrêter ses études. Plus elle se rejette, plus l'acné devient importante et plus elle s'éloigne des autres. En apprenant à nouveau à s'accepter, l'acné disparaît graduellement.

158

Johanne souffrait d'acné depuis 25 ans

Johanne avait tout essayé: crèmes, antibiotiques, acutane, etc.; rien n'y fit. Le jour où elle commença à s'aimer telle qu'elle était, l'acné disparut complètement. (Voir "Liliane et son acné" au chapitre VI). L'acné peut aussi se retrouver sur la poitrine ou dans le dos. Localisée au dos, l'acné signifie souvent que la personne se rejette parce qu'elle n'est pas en mesure d'assumer le soutien qu'on lui demande. Il est également possible qu'elle rejette ceux ou celles qui ne la soutiennent pas suffisamment. Située sur la poitrine, l'acné concerne son espace: on peut se rejeter parce que l'on est trop timide, que l'on ne prend pas suffisamment son espace. Cela peut également signifier que l'on vit du rejet face aux personnes qui limitent notre espace.

Les boutons

Ce sont de petites protubérances rougeâtres contenant ou non du pus. Ils sont souvent reliés à de l'impatience et lorsqu'ils purulent, c'est qu'il y a une petite colère qui bout ou qui bouillait.

Les maladies éruptives (rougeole, roséole, scarlatine...)

Elles sont souvent reliées à de la contrariété (voir le chapitre XII).

Les furoncles et abcès

Ils sont constitués d'un amas de pus formant une protubérance au sein d'un tissu ou d'un organe. Ils sont très souvent le résultat de la colère. Il faut tenir compte de l'endroit du corps où ils se manifestent. Un furoncle situé dans le dos peut indiquer de la colère, parce que l'on ne se sent pas suffisamment soutenu. Un furoncle situé sur les lèvres sexuelles indique souvent de la colère reliée à son partenaire sexuel.

Les polypes

Ce sont de petites ex-croissances qui se développent au niveau des muqueuses nasales, bucales, intestinales ou autres.
Les polypes sont souvent reliés au fait de se sentir "coincer" dans une situation où l'on souhaiterait s'échapper.
Denis est l'unique fils de sa famille. Sur lui repose les grands

espoirs de sa mère. Aussi entreprend-t-il des études de droits, dans le but de plaire à sa mère, qui l'y incite fortement. Déjà avant la fin de ses études et grâce à la situation de sa famille, un brillant poste d'avocat l'attend. Moins d'un an avant sa graduation du barreau, il quitte ses études pour devenir technicien en électronique. Comme il est un brillant technicien, sa femme l'incite à s'ouvrir un commerce dans ce domaine. Cette fois, c'est sa belle famille qui est prête à subventionner les frais de l'entreprise dont Denis ne désire nullement mais se sens coincer à nouveau dans une situation où il voudrait s'échapper. Il craint de déplaire à sa femme comme il avait eu peur de déplaire à sa mère. La solution pour lui est de comprendre que dans leur amour, ses proches décident ce qui serait le meilleur pour lui mais ceci, selon leur entendement. Il n'en demeure pas moins qu'il est le seul à assumer ses choix. Pour se libérer de ses polypes il a du en discuter avec les personnes qu'il aimait et assumer les responsabilités de son choix.

La cellulite (Voir "Les jambes" au chapitre XIII).

Les durillons et les verrues plantaires (Voir "Les pieds" au chapitre XIII).

Les ecchymoses

Aussi appelés "bleus", les ecchymoses sont fréquentes chez les personnes qui se sentent coupables de tout et de rien. Elles s'autopunissent en se cognant. Il en va de même pour les **coupures** et les **brûlures**: plus elles sont importantes, plus grande est la culpabilité. Revoir le chapitre VI.

Le pied d'athlète

Souvent relié à de la contrariété dans ses désirs d'avancer ou encore parce que les situations ne vont pas dans le sens qu'on le souhaite, ce qui peut nous amener à vivre de la frustration.

En ce qui concerne les maladies de la peau plus graves telles le **lupus** ou la **lèpre**, (voir le chapitre X).

La sclérodermie

Maladie qui se caractérise par le durcissement de la peau et la perte de la mobilité ostéo-articulaire et musculaire. Il s'agit très souvent d'une personne qui est très dure envers elle-même, ou qui s'est sentie blessée et qui, pour survivre, s'est endurcie afin de se protéger de son entourage pour survivre.

Une participante souffrait de sclérodermie

Cette participante était de nature renfermée, mais vivait intérieurement de la rage face aux autres et aux événements. Très exigeante envers elle-même, elle l'était forcément envers son entourage. Lorsqu'une situation lui déplaisait, elle vivait intérieurement une forme de rage qui la brûlait. Cette rage intérieure affectait son premier centre d'énergie, le centre coccygien, relié aux glandes surrénales et affectait ainsi les parties solides de son corps, soit la peau, les os et les muscles. En développant plus de compréhension et de tolérance envers elle-même et les autres, s'assouplit graduellement sa peau et elle put ainsi manger de la nourriture consistante, ce qu'elle n'avait pu d'ailleurs faire depuis des années.

Les verrues

Les verrues situées ailleurs qu'aux pieds représentent de petites barrières que l'on se met. Elles peuvent être pleines de petits chagrins ou rancoeurs. L'une de mes gardiennes avait plusieurs verrues aux mains lorsque je lui fis remarquer que cela était peut-être relié à de la rancoeur envers ses parents, car elle avait une malformation aux mains. Elle en prit conscience et dans les jours qui suivirent, ses verrues disparurent. Elle pensa alors que j'étais guérisseuse.

LES PHANÈRES

Les phanères sont des dérivés de la peau. Très développés chez les animaux, ils sont réduits aux cheveux, poils et ongles chez l'Être humain.

Les cheveux

Tout comme la peau, ils reflètent l'état de santé du corps. *Ils représentent à la fois la beauté et la force.* Mon père disait: "Les cheveux sont la couronne de la femme" et il avait raison puisque les cheveux sont tout près du centre coronal. C'est d'ailleurs la raison pour laquelle, dans certaines sectes ou religions, on se rase la tête en signe d'humilité. On supprime cet attrait de notre personne. D'autres sectes diront cependant que les cheveux et la barbe sont les antennes de notre spiritualité, que plus une personne a de vitalité, plus elle a une chevelure abondante qui pousse rapidement, et ce, à l'inverse d'une chevelure peu fournie qui est un signe de manque de vitalité. On n'a qu'à se rappeler l'histoire de Samson qui avait sa force dans ses cheveux. D'après l'observation des participants à mes groupes, je peux affirmer que cela est assez juste. Cependant, il faut tenir compte qu'en général, les cheveux blonds sont plus fins; ils peuvent donc sembler moins épais qu'une chevelure foncée.

La chute des cheveux

La chute des cheveux est souvent reliée à une situation qui nous fait vivre beaucoup de tension. L'expression "Il y a de quoi s'arracher les cheveux sur la tête" traduit bien l'état dans lequel on ne sait plus où donner de la tête. Il est remarquable d'observer que certaines femmes, après un accouchement, perdent beaucoup de cheveux; la tension ou la peur face à l'accouchement y est souvent pour beaucoup, en plus de l'inquiétude face à ce nourrisson dont on ne comprend pas toujours les pleurs.

Une participante vint me consulter pour une perte importante de cheveux. Il en ressortit en thérapie que son père avait toujours vécu dans la crainte d'être sans emploi et que lui et sa famille avaient vécu une période de chômage assez dramatique. Cette participante se retrouvait pour la seconde fois sans emploi et vivait énormément de tension et de peur. Après en avoir pris conscience, elle reprit confiance en elle, retrouva un emploi, et la chute de ses cheveux cessa. Voir "Maryse est obèse et perd ses cheveux" au chapitre VII.

La calvitie est plus fréquente chez les hommes et, pour une bonne part, à cause de l'héritage génétique. Il est cependant intéressant d'observer que les hommes qui portent la barbe et qui utilisent beaucoup leur cerveau (on n'a qu'à penser au savant) sont souvent chauves. Selon des recherches, la chaleur produite par la barbe recouvrant le visage ne permettrait pas suffisamment d'aération pour le cerveau, ce qui ferait tomber les cheveux, et ce, afin de contrebalancer. J'ai connu un homme qui portait la barbe depuis l'âge de 16 ans. Il était du genre intellectuel, donc plus sédentaire. Dès l'âge de 22 ans, il commença à perdre ses cheveux et à 32 ans, il était chauve. Mais fait intéressant, c'est à cet âge qu'il se coupa la barbe, et dans l'année qui suivit, des cheveux repoussèrent là où il n'y en avait plus. Un barbu travaillant davantage physiquement et à l'extérieur aura souvent une chevelure abondante.

Les cheveux blancs

Ils signifient sagesse ou perte de vitalité. Pour certains, il s'agit d'un signe de sagesse, mais pour la majorité, cela correspond à une perte de vitalité. Le stress et les chocs émotionnels peuvent activer la décoloration des cheveux.

Cuir chevelu et pellicules

Un cuir chevelu sec, qui desquame, est souvent signe de sécheresse à la tête: la personne veut laisser les autres penser à sa place. Au contraire, un cuir chevelu gras est souvent signe d'une trop grande activité de la pensée centrée sur ses propres préoccupations. Dans le premier cas, la personne aurait intérêt à faire fonctionner sa propre matière grise et dans le second, à la modérer en ayant d'autres activités pour permettre à sa pensée de se détendre.

Teigne, psoriasis ou eczéma dans les cheveux

Ces situations sont souvent reliées à de la contrariété face à sa chefferie. N'appelle-t-on pas un chapeau un couvre-chef? On se sent contrarié dans les idées que l'on désire apporter. Nos capacités décisionnelles sont mises de côté.

LES ONGLES

Les ongles dérivent entièrement de l'épiderme et représentent une kératinisation extrême. Chez plusieurs animaux, les ongles sont leur défense, en plus de leur permettre de se gratter. Chez l'Etre humain, les ongles servent également à se gratter, tout en protégeant l'extrémité des doigts, reliés à notre dextérité. Ce que l'animal utilise pour se défendre et se nourrir, l'Etre humain l'utilise, dans sa dextérité, également pour se nourrir. On écrit, on signe des chèques, on peint, on coud, tout cela grâce à notre dextérité.

Se ronger les ongles

C'est souvent le signe d'un refus d'utiliser son autonomie car elle nous fait peur. On ronge ses propres défenses pour s'en remettre à d'autres.

Se mordre les ongles

C'est souvent le signe d'une agressivité refoulée. Cette agressivité peut être tournée contre soi-même. On s'en veut.

Ongles mous et cassants

Tout comme la peau et les cheveux, les ongles représentent la vitalité. Des ongles mous et cassants seront un signe de manque d'équilibre dans l'utilisation de son énergie.

Ongle incarné

Il se rencontre surtout au niveau des orteils. Souvent relié à de la culpabilité ou à du ressentiment dans la direction prise ou que l'on nous impose.

Cuticules

Elles sont souvent reliées au fait de se critiquer pour de menus détails.

Se casser un ongle

Cela exprime souvent une culpabilité face à un détail du quotidien (ongle d'un doigt) ou du futur (ongle d'un orteil).

POILS (sourcils, cils, poils du nez, duvet du corps, poils pubiens)

Les poils ont une double fonction: protéger et réchauffer. Il est assez rare de rencontrer des problèmes au niveau des poils, mais ceux que l'on peut rencontrer sont: l'absence de poils, l'infection comme dans "sinus pilonidal" ou bien les parasites qui se logent dans les poils et les cheveux tels les poux ou les morpions.

J'ai rencontré un homme de 28 ans qui avait perdu tous ses

cheveux, sa barbe et tous les poils de son corps (sourcils, cils, etc.). Pour cet homme, ses cheveux, sa barbe et ses poils représentaient sa beauté. Enfant, il avait vu un homme sans cheveux et sans poils. Il l'avait trouvé affreux, pensant qu'il ne voudrait jamais qu'une telle chose lui arrive. C'est à la suite de son divorce qu'il avait perdu ses cheveux et ses poils. Il s'était senti coupable de ce divorce et s'enlevait ainsi sa beauté afin de ne plus avoir d'autres femmes dans sa vie et, parconséquent, voulait s'autopunir. Cela avait également une résonance avec sa mère car il s'était senti méchant avec elle. Malheureusement, ce jeune homme cherchait le remède miracle qui allait lui rendre ses poils et ses cheveux et ne voulait pas trop s'attarder à la cause.

Sinus pilonidal

Le sinus pilonidal est caractérisé par l'infection des follicules pileux au niveau du muscle ischio-coccygien. Il résulte fréquemment d'une situation en résonance avec notre enfance et même avec notre état foetal qui nous révolte, nous fend le derrière. (Voir "Fissure anale" au chapitre XVIII).

Les parasites des poils (poux, morpions)

Ils proviennent souvent du sentiment de se sentir sale, abandonné à soi, en décrépitude, ou de la culpabilité d'entretenir ou de partager des relations sexuelles sans liens affectifs.

165

CHAPITRE XV

LE SYSTÈME RESPIRATOIRE

Le système respiratoire représente l'échange entre notre milieu extérieur et intérieur. Les voies respiratoires sont les voies de la communication, l'entrée de la vie, laquelle sera distribuée par mon sang à chacune de mes cellules.

Les problèmes des voies respiratoires concernent donc mon désir ou mon refus de vivre, mes échanges avec mon milieu, mon espace vital ainsi que les échanges entre le plan matériel et spirituel.

C'est par la respiration que j'apaise mon système nerveux, que je calme mes émotions, que j'entre en méditation ou que je reçois intuitions et inspiration.

Les principaux organes du système respiratoire sont: le nez, la bouche, la trachée artère (contenant en partie le pharynx et le larynx) ou gorge, les bronches, les poumons et le diaphragme.

LE NEZ

Il représente ma capacité de sentir ou de ressentir. C'est aussi l'entrée de la vie en moi. Dans la bible, il est dit: "Dieu insuffla dans ses narines le souffle de vie et l'Homme (Être humain) devint une âme vivante."

Avoir des difficultés à respirer par le nez de façon chronique est souvent signe d'un refus de vivre. Si c'est par la narine gauche (émotionnelle), il se peut que ce soit dû à de fortes émotions vécues à ma naissance. Si c'est la narine droite (rationnelle), il se peut que je pense qu'il aurait été mieux pour ma mère de ne pas avoir d'enfants et qu'il eut mieux valu que je ne naisse pas.

Si vous vous souvenez, j'ai mentionné dans la préface que j'ai subi trois interventions chirurgicales au nez, car je respirais très mal. Il y avait en moi un refus de vivre.

Sinusite

C'est une infection des sinus. Elle est reliée à de la colère face à une situation, à une ou des personnes que je ne peux sentir, à moins que ce ne soit moi que je ne peux sentir.

Irène fait une sinusite depuis plus de six mois

Irène souffre d'une sinusite. Après le décès de son mari, Irène accepte l'invitation de sa soeur de partager un appartement dans un complexe pour personnes âgées. Lorsqu'Irène était enfant, sa soeur Olivia, étant son ainée de douze ans, joua auprès d'elle le rôle de mère. À nouveau réunies, Olivia reprend inconsciemment ce rôle en disant continuellement à Irène comment agir et penser. Irène ne peut "sentir" cette situation et elle vit de la colère tout en se sentant incapable de quitter sa soeur. Je suggère donc à Irène d'avoir une discussion franche avec sa soeur sur son malaise. Olivia comprit et toutes deux trouvèrent des solutions. La sinusite d'Irène disparut.

Adénoïdes ou végétations

Ces affections se retrouvent surtout chez les enfants. Elles sont caractérisées par une hypertrophie des végétations qui causent une obstruction nasale obligeant l'enfant à respirer par la bouche. On les retrouve souvent chez les enfants qui ont un senti (intuition) très développé et désirent ne pas ressentir les choses qui les affectent. L'enfant peut également sentir qu'il n'est pas au bon endroit et peut vivre de la colère parce qu'il n'est pas là où il voudrait être ou avec la personne avec qui il voudrait être.

Saignement de nez

La perte de sang est reliée à une perte de joie. Si cette perte provient du nez, il est fort probable qu'il y ait une perte de joie reliée à ma vie. Je ne suis peut-être pas très heureux de vivre..

Alexandra saigne du nez

Alexandra se réveille en pleine nuit et saigne du nez. Sa mère lui met des compresses froides puis les saignements cessent pour reprendre au matin. Sa mère, inquiète, me téléphone. Alexandra a un problème de poids et tous et chacun l'ennuient avec ce problème. La veille des saignements de nez, sa mère et son père, en vue de l'encourager à entreprendre une diète, lui jouent un tour en apportant le pèse-personne dans le salon. Le tapis moelleux du salon a comme effet d'augmenter la mesure du poids. Sa mère s'écrie: "Alexandra, tu pèses 60 kg. Il te faut entreprendre une diète." Cette dernière délaisse ce à quoi elle s'occupait et s'en va dans sa chambre en pleurant et en disant: "Voulez-vous me ficher la paix avec cette histoire et m'accepter telle que je suis!" Les saignements de nez sont les pleurs de sa vie parce qu'elle ne se sent pas acceptée. C'est sa joie intérieure qui la fuit. Lorsqu'elle prend conscience qu'elle est acceptée et aimée, mais que pour son plus grand bien-être, ses parents souhaitaient qu'elle perde quelques kilos, les saignements de nez cessent.

Le nez étant à la base du centre frontal et relié à notre intuition, il nous fera **"pré-sentir"** ou **"re-sentir"** les choses à l'avance. C'est pourquoi bien respirer par le nez aide à l'intuition. Il se peut aussi que la personne ait peur de son intuition et bloque les voies de son senti.

Polypes du nez (Voir le chapitre XIV).

Éternuement

Il est caractérisé par l'expulsion d'air suite à une sensation de chatouillement dans les voies nasales. Qu'ai-je ressenti que je rejette? Lorsque l'on a des éternuements successifs, on pourrait se poser la question: "De qui ou de quelle situation voudrais-je me débarrasser?"

Ronflements

Ils sont souvent dus à des canaux de communication fermés. Il se peut que je m'accroche à mes idées, à mes principes, alors je ferme mes canaux de communication, souvent inconsciemment. J'ai observé que lorsqu'une personne ronfle, le fait de lui demander de changer de position arrête les ronflements. C'est peut-être parce qu'elle s'ouvre à ce que je lui demande.

LA BOUCHE

Elle sera couverte au chapitre XVII.

169

LA GORGE

La gorge représente ma capacité de m'exprimer, verbalement par la parole, et non verbalement, par ma créativité. Elle est une partie de la trachée artère et contient le pharynx et le larynx (cordes vocales). C'est la voie de l'expression et de l'échange. C'est aussi le lien entre le côté physique et le côté spirituel de l'être humain. Elle correspond au centre laryngé, centre de la vérité et de la créativité qui est lui-même relié au centre sacré, centre de l'énergie sexuelle (voir "Les centres d'énergie").

Si je me raconte des histoires, que je ne suis pas vrai envers moi-même, il se peut que j'aie l'impression d'avoir quelque chose de pris dans la gorge. La peur d'exprimer ma pensée ou ma créativité peut aussi me donner des sensations similaires. (Voir le chapitre XI.) Je pense à une personne qui avait une très belle voix et, chaque fois qu'elle devait chanter en public, avait une sensation de blocage à la gorge.

S'étouffer

C'est souvent le signe qu'une idée n'a pas passé, à moins que ce ne soit une émotion qui remonte et que je tente d'arrêter.

Si cela arrivait, mettez votre main droite sur votre gorge en pensant: "Je m'ouvre aux nouvelles idées ou à ce qui veut se révéler."

Les amygdales

Elles sont constituées de deux masses situées à droite et à gauche au fond de ma bouche. Elles servent à tamiser et absorber les microbes qu'elles font disparaître.

L'amygdalite

L'inflammation des amygdales ou amygdalite est un signe de rébellion contre un membre de son entourage (famille, école, travail) ou une situation qui nous étouffe et, comme on croit ne rien pouvoir contre ce trop gros microbe, on bloque le passage de la communication. Elle se retrouve aussi dans la mononucléose, voir le chapitre XVI.

La pharyngite

C'est l'inflammation de la muqueuse du pharynx, souvent appelée mal de gorge. Elle serait reliée à une idée que je n'ai pas avalée ou encore à une émotion de colère que j'ai ravalée.

La laryngite

L'inflammation du larynx ou laryngite vient surtout de la peur de dire quelque chose à quelqu'un qui représente l'autorité. On étouffe ce que l'on a à dire, et cela nous fait vivre de la colère.

Aphonie ou extinction de voix

Une forte émotion qui ébranle ma sensibilité peut me faire perdre la voix.

"Chat dans la gorge"

Cela vient souvent de la peur d'exprimer ses idées par peur du rejet, de la critique ou du ridicule.

Bégaiement

Le bégaiement est un trouble d'élocution. Ce sont encore les voies de communication qui sont déficientes. Les bégaiements proviennent souvent de l'enfance et indiquent une grande insécurité face à l'un ou aux deux parents. On peut avoir peur de l'un ou des deux; ou encore vivre de l'anxiété par crainte de ne pas répondre aux attentes qu'il a ou qu'ils ont envers nous. Il se peut aussi qu'on ne nous ait pas permis de nous exprimer ou qu'on ait refoulé nous-même ce que l'on avait à dire.

LA GLANDE THYROÏDE

La glande thyroïde est responsable du métabolisme, de la chaleur du corps et du contrôle musculaire. Elle produit des hormones essentielles à la croissance et à la préservation de mon organisme. *Elle représente l'équilibre dans l'utilisation de mes moyens d'expression: expression verbale, non-verbale ou sexuelle.*

Les principaux problèmes reliés à la thyroïde sont :

171

L'hypothyroïdie

Consiste en un sous-fonctionnement de la glande thyroïde. Elle se caractérise souvent par une mauvaise distribution de l'énergie, ce qui explique les extrémités froides. Souvent l'hypothyroïdie s'accompagne d'une proéminence des yeux. Elle peut signifier fatigue, épuisement, découragement: "A quoi bon, je n'y arriverai pas, personne ne peut me comprendre." (Voir "Dorothée" au chapitre VI).

L'hyperthyroïdie

Elle se caractérise par un hyper-fonctionnement de la glande thyroïde. Ici, il y a une augmentation du métabolisme et, par conséquent, une augmentation de chaleur et de transpiration. Elle peut s'expliquer par un désir de me venger, de montrer aux autres ce dont je suis capable, ce qui crée en moi un stress des plus productifs jusqu'à ce que j'atteigne l'épuisement et le découragement. A ce moment-là, je passe à l'hypothyroïdie.

Le goitre

Le goitre représente un gonflement ou hypertrophie de la glande thyroïde. Il est souvent la conséquence de fortes émotions qui n'ont pas été exprimées, comme le chagrin ou le ressentiment. Cela nous est resté dans la gorge.

Jacinthe a le goitre

Jacinthe a 14 ans. Elle est plutôt rebelle et ses parents ne sachant plus comment s'y prendre avec elle, la placent dans une école de réforme. Jacinthe ne l'a jamais avalé et leur garde une profonde rancune qui se manifeste par un goitre.

Diane, un autre cas de goitre

Diane a 12 ans lorsqu'elle est abusée sexuellement par son père. Cependant, la personne envers qui elle conserve le plus de rancune est sa mère, parce qu'elle pense: "Elle aurait pu agir, mais elle jouait à l'autruche." Se rappeler que le chakra sexuel (centre sacré) est directement relié au chakra de la gorge (centre laryngé).

Les bronches

Elles représentent les embranchements de la vie et servent à amener l'air (la vie) dans les poumons. Un problème de bronches peut être relié à une perte du goût à la vie.

La bronchite

C'est une inflammation de la muqueuse des bronches. Il se peut que je me sente brimé, étouffé par mon milieu familial ou environnant. Il est aussi possible qu'il y ait de la critique en moi envers mon environnement.

Fièvre et toux

Elles sont reliées à la colère et la critique. (Voir le chapitre XII).

Fièvre des foins

C'est une réaction allergique affectant les conjonctives des yeux, les muqueuses du nez et les sinus. La fièvre des foins peut être la résultante d'une programmation, du besoin d'une excuse. La personne, par exemple, qui préfère en faire moins durant la période estivale peut se donner une fièvre des foins comme excuse. La fièvre des foins peut également être reliée à un souvenir.

Laurent souffrait de la fièvre des foins depuis 22 ans

Lorsque Laurent était enfant, ses parents habitaient une ferme. Pendant la période estivale, Laurent participait aux principales activités de la ferme, et pour lui, c'était une période de bonheur. C'est lorsqu'il dut quitter la maison familiale pour étudier à l'extérieur que débuta cette fièvre des foins. Elle représentait son ennui de cette période heureuse de sa vie. Lorsque le beau temps revenait et qu'il était nostalgique de ces jours heureux, sa fièvre se manifestait.

Rhume

Il est très souvent relié à la confusion dans la pensée. **Qu'est-ce que je dois faire?** Partir ou rester? Acheter ou vendre? Dire oui ou non? Est-ce que je vais y arriver? Des tas d'interrogations. On ne sait plus où donner de la tête. Il se peut également que ce soit le résultat d'une programmation, par exemple: "Tous les automnes, j'ai un rhume." (Voir le chapitre IV).

Grippe

C'est une maladie infectieuse à virus s'accompagnant de fièvre, courbatures et problèmes respiratoires. Elle est plus intense que le rhume, même si beaucoup de gens appellent une grippe, un simple rhume. Une vraie grippe nous cloue au lit. N'est-ce pas ce que nous voulons? Peut-être avons-nous besoin d'un repos?

Je me souviens que lorsque mon fils était bébé, je l'allaitais et j'aurais voulu demander à mon mari de lui donner un biberon la nuit. Mais comme il travaillait le lendemain, je n'osais pas le lui demander, bien que je sois épuisée. J'ai développé une grippe dont je me souviens encore. A partir de ce jour, nous avons fait la rotation pour le biberon de nuit...

La broncho-pneumonie

C'est une inflammation simultanée des bronchioles et des alvéoles pulmonaires. Elle est souvent reliée au fait de se sentir restreint dans sa vie, ce qui nous amène à vivre de la colère contre la vie elle-même. On peut penser que la vie est injuste.

LES POUMONS

Ils représentent la vie, mon besoin d'espace et d'autonomie.

Oppression pulmonaire

Par qui ou par quoi est-ce que je me sens oppressé? Qui est-ce ou qu'est-ce qui menace ma liberté?

Asthme

L'asthme est souvent relié au fait de se sentir étouffé par une personne ou une situation. (Voir le chapitre VIII).

Emphysème

Elle est caractérisée par un essoufflement au moindre effort. La personne a la sensation de manquer d'air. De très grandes peurs peuvent être à l'origine de l'emphysème pulmonaire. La vie nous fuit, à moins que ce ne soit nous qui la fuyions. Elle est également reliée à la peur de prendre sa place. On attend que les autres nous la donne. Ce qui nous fait vivre de la frustration.

Pneumonie et pleurésie

Ce sont des infections graves des poumons qui sont très souvent reliées à un profond découragement, une fatigue de la vie, un désir de mourir. Combien de personnes atteintes d'autres maladies finissent par mourir de la pneumonie?

Hyperventilation

Elle consiste à inspirer rapidement et à peu expirer, ce qui crée un surplus d'oxygénation de l'organisme. Elle est souvent reliée à la peur, surtout la peur de s'abandonner. Elle est fréquente dans certaines maladies où la personne ne sait pas ce qui lui arrive.

Cancer des poumons (Voir le chapitre X).

Tuberculose (Voir le chapitre X).

DIAPHRAGME

Il représente l'effort. Muscle qui sépare le thorax de l'abdomen, il joue un rôle dans la respiration: par sa contraction, il participe également aux phénomènes d'expulsion (miction, défécation, accouchement).

Le hoquet

Le hoquet est directement lié au diaphragme. Il est souvent relié à une petite culpabilité parce qu'on a trop mangé, trop ri, trop fait d'efforts. On a besoin de se calmer, un bon verre d'eau peut nous aider à nous changer les idées.

175

CHAPITRE XVI

LE SYSTÈME CIRCULATOIRE

Le système circulatoire représente le réseau d'échanges internes de mon organisme. C'est lui qui apporte la vie, la joie et l'amour à mes cellules, les déchets du métabolisme des cellules aux organes d'élimination. Enfin, il sert à transporter des substances chimiques d'un organe à un autre. En plus de ce rôle d'échange, il protège l'organisme contre les agents pathogènes et assure à chaque cellule un milieu stable (homéostasie).

Le système circulatoire, comme on le voit, est le centre du maintien de la vie et sa pompe en est le coeur. Si le système respiratoire est responsable de l'entrée de la vie dans l'organisme, le système circulatoire est responsable du maintien et de la distribution de cette vie à l'intérieur de l'organisme. En d'autres termes, on pourrait dire que par mon système respiratoire, il y a échange entre le plan matériel (corps) et le plan spirituel (air). Mon système circulatoire représente ma capacité de redonner dans mon milieu ce que j'ai reçu du plan spirituel avec mon coeur qui représente l'amour.

Les principales maladies du système circulatoire sont reliées au fait que l'amour et la joie d'être vivant ne circulent pas suffisamment bien dans notre vie. Ses principaux organes sont: le coeur, les artères (artérioles, veines, veinules), les capillaires et la rate. Son principal liquide est le sang.

SYSTÈME
CIRCULATOIRE

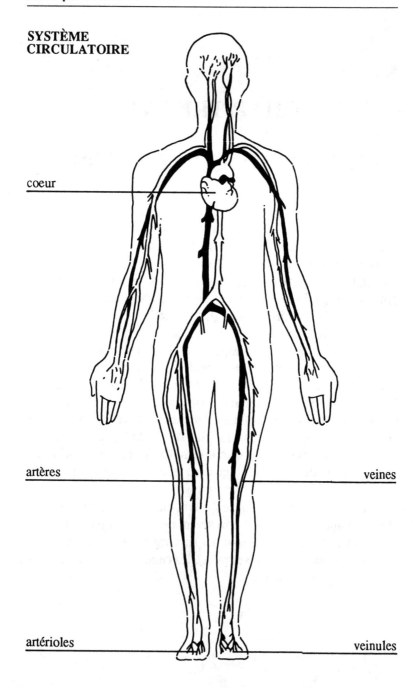

coeur

artères

veines

artérioles

veinules

LE COEUR

Le coeur représente l'amour. C'est à la fois une pompe aspirante et refoulante. Plus je vivrai d'amour dans ma vie, pour moi-même, pour mon entourage et pour le monde qui m'entoure (nature, articles à mon service, transports, etc.) plus mon coeur travaillera dans la joie, plus mes cellules seront bien portantes, plus j'aurai les yeux brillants, le teint animé et plus je pourrai dire que la vie est belle.

Mais, si je cultive le manque d'amour, la haine, le ressentiment, la culpabilité, si je laisse les émotions prendre la maîtrise de ma vie, mon coeur en sera le premier affecté et mes cellules en seront par la suite également affectées, car le sang leur apportera ce que je nourris intérieurement.

Les maladies du coeur sont les maladies reliées au manque d'amour envers soi, envers les autres ou envers la vie. Il se peut que je prenne la vie trop au sérieux, que je ne prenne pas le temps de m'amuser de me détendre ou de la savourer. C'est alors l'infarctus ou la crise cardiaque. (Voir au chapitre X, "Roger et sa crise cardiaque" et"Pierrette a été opérée pour un pontage cardiaque", au chapitre XII).

Tachycardie

C'est l'accélération des battements du coeur. La tachycardie est reliée le plus souvent à une ou plusieurs émotions fortes. En cas de tachycardie passagère, il serait bon de respirer lentement et profondément. La tachycardie chronique exige une harmonisation au plan des émotions.

Angine de poitrine

Elle est caractérisée par une insuffisance du débit sanguin au coeur, d'où parfois la nécessité de faire un pontage. Il est possible que je prenne beaucoup trop les choses à coeur, par exemple, je m'inquiète pour mon mari, mes enfants, mes petits-enfants, etc. La moindre chose me blesse, m'irrite ou me fait plaisir. J'aurais grandement intérêt à prendre les choses moins à coeur et laisser les problèmes des autres aux autres, car, tout comme eux, je possède un côté divin en moi et me faire du mal ne les aide en aucun cas.

Hypertension

Appelé communément "haute pression", l'hypertension signifie un état où la tension est très grande. Le débit émotionnel est trop
fort, le sang se réchauffe et le baromètre s'élève. L'hypertension est souvent reliée à de fortes émotions qui
peuvent provenir du passé mais qui persistent peut-être parce que
nous entretenons de la haine, de la rancune, de la culpabilité ou
encore de la peine. (Voir au chapitre XII, "Jeannine souffre
d'hypertension").

L'hypotension

Appelée communément "basse pression", l'hypotension est à
l'opposé de l'hypertension: les battements de la vie sont faibles.
On n'a plus envie de lutter, on se laisse aller à la défaite, au
découragement.

Circulation sanguine

Le sang est poussé par le coeur dans les artères qui se divisent
en de très nombreux vaisseaux plus petits appelés artérioles. Par
celles-ci, le sang se rend aux organes à travers lesquels il s'infiltre
dans tout le corps grâce aux capillaires. Après avoir irrigué les
organes, le sang retourne au coeur par les veinules et les veines.

Les **artères, artérioles, capillaires, veinules et veines** sont les
canaux de distribution de la vie, de la joie et de l'amour à travers
mon organisme. Si l'un de ces canaux s'obstrue, c'est que la vie,
la joie et l'amour ne circulent pas bien dans mon milieu ambiant,
entraînant la trombose coronaire, l'athérosclérose, l'artériosclérose,
l'élévation du taux de cholestérol, la phlébite et les varices (voir
"Les jambes" au chapitre XIII).

La trombose coronaire

Elle est caractérisée par un caillot sanguin à l'intérieur d'une
artère. Elle est reliée à un blocage émotif important où la joie est
bloquée.

Cholestérol

Le cholestérol est un lubrifiant nécessaire à la protection de
l'intérieur de mes vaisseaux sanguins, de façon à ce que mes

vaisseaux ne s'usent pas trop vite par le passage rapide et répété du sang. Les problèmes surgissent lorsque la joie circule mal, le cholestérol se dépose alors par couches concentriques, formant des calculs dans la vésicule biliaire ou le canal cystique. Il est aussi responsable de l'athérosclérose ou de l'artériosclérose.

Athérosclérose ou l'artériosclérose

Ce mot exprime le durcissement des artères (athérosclérose) ou des artérioles (artériosclérose). Ce problème est engendré par le durcissement des voies de ma communication dans mon milieu ambiant. Envers qui est-ce que j'endurcis mes sentiments? Ce peut être envers la vie.

Le sang et ses manifestations de déséquilibre

Le sang représente la vie. Il est composé de:

- globules rouges (érytrocytes): APPORT
- globules blancs (leucocytes): DÉFENSE
- et de plaquettes (trombocytes): BARRIERE

L'anémie

Elle est un signe que le nombre de globules rouges est insuffisant. Elle est reliée à un manque de joie et d'amour dans sa vie. (Est-ce que j'attends la joie et l'amour des autres?) Elle est souvent associée à une non-envie de vivre, au découragement.

La leucémie

Elle est due à une augmentation des globules blancs au profit des globules rouges qui diminuent. Je brandis les armes. (Voir le chapitre X).

La leucopénie

Elle se manifeste par la baisse des globules blancs. Elle signifie qu'il y a perte de mes défenses, que je dépose les armes.

Hémorragie

Caractérisée par une grande perte de sang, elle est reliée à une grande perte de joie, peut-être parce que les événements ne se passent pas selon mes désirs ou mes attentes.

Septicémie

Appelée aussi empoisonnement du sang, c'est une infection du sang qui peut provenir du fait que quelqu'un nous empoisonne la vie ou qu'on se l'empoisonne soi-même. Elle peut être aussi reliée à une programmation: "Se faire du mauvais sang".

Mononucléose

C'est une infection caractérisée par une augmentation des leucocytes, plus particulièrement les lymphocytes qui sont recueillis par la rate, d'où augmentation du volume de la rate. Elle est souvent reliée au fait de vouloir déprécier la vie ou son entourage. Comme pour les autres infections, il y a de la critique, mais ici, elle est destructive, d'où la grande destruction de globules recueillis par la rate.

LA RATE

Son rôle est de débarrasser le sang de ses globules rouges usés, récupérer l'hémoglobine en libérant le fer et produire des globules blancs pour la lymphe.

Problèmes de rate

Lorsque je suis obsédé par des choses ou des personnes qui me dérangent au point de dire: "il me tombe sur la rate.", il faut savoir prendre les choses avec moins de gravité et en rire. On dit que le rire dilate la rate.

CHAPITRE XVII

LE SYSTÈME DIGESTIF

L a nutrition peut être définie comme l'ensemble des échanges qui se font entre un organisme et son milieu ambiant et la transformation de la matière et de l'énergie qui servent à maintenir la vie de cet organisme. La nutrition d'un organisme tel l'Être humain comporte un grand nombre d'opérations et l'on distingue habituellement plusieurs sous-fonctions remplies chacune par un appareil particulier. Cette spécialisation fonctionnelle ne doit pas faire perdre de vue cependant que la nutrition est un tout et que le but poursuivi est la réalisation du métabolisme à l'intérieur de chaque cellule.

Elle comporte quatre phases principales qui sont: l'apport ou entrée des aliments; la digestion ou transformation de ces aliments; l'absorption ou passage des éléments essentiels de ces aliments dans le sang et la lymphe, et l'excrétion ou rejet des déchets du métabolisme.

Au plan métaphysique, il en va de même pour nourrir nos corps éthériques, et ce, dans l'ultime but de l'évolution de l'être. Il y aura donc apport de connaissances (idées) et d'expériences, digestion de ces connaissances et ces expériences (j'utiliserai certaines de ces connaissances et ces expériences pour mon évolution), absorption ou intégration des éléments essentiels à mon évolution tel l'amour, la compassion, la confiance, la tolérance, la compréhension etc. qui serviront à nourrir mon corps spirituel, puis excrétion, qui consiste à rejeter ce qui est inutile à mon évolution. Par exemple, un trop grand attachement aux biens matériels peut m'amener à développer de l'envie, de l'avarice, de l'égoïsme, de l'injustice, de la colère, de la rancune, de la haine ou de l'orgueil qui me font rejeter les idées des autres ou encore me retenir dans ma façon d'être.

Les principaux organes du système digestif sont: la bouche, les lèvres, les mâchoires, les dents et les gencives, la langue, le palais, le pharynx, l'oesophage, l'estomac, le foie, le pancréas, le duodénum, l'intestin grêle, le côlon ou gros intestin, le rectum et l'anus.

SYSTÈME DIGESTIF

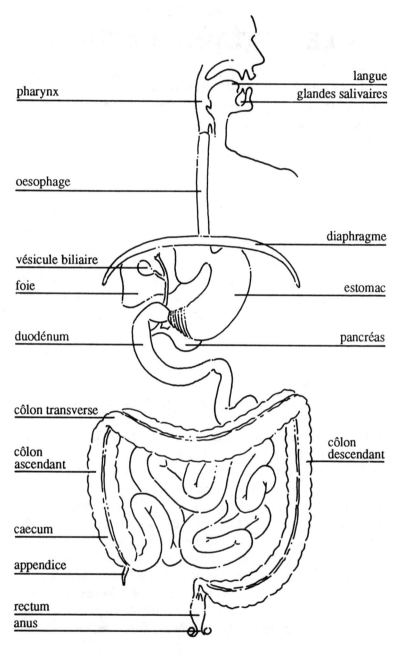

pharynx

langue
glandes salivaires

oesophage

diaphragme

vésicule biliaire

foie

estomac

duodénum

pancréas

côlon transverse

côlon
ascendant

côlon
descendant

caecum

appendice

rectum
anus

LA BOUCHE

Elle représente ma capacité de laisser entrer de nouvelles idées ou pensées.

Ulcère dans la bouche

L'ulcère se caractérise par une lésion de la muqueuse buccale. Il est souvent relié à des pensées que je rumine avec colère.

Haleine

L'air que l'on expire contient nos pensées. Quelles sont donc ces pensées qui infectent mon haleine? Sûrement pas des pensées d'amour.

Les lèvres

Elles représentent mon ouverture ou ma fermeture à ce que je désire exprimer. Elles servent à exprimer nos désirs, nos besoins. Des lèvres charnues dénotent une ouverture aux plaisirs de la vie, des sens (le goûter, le toucher - embrasser), alors qu'une bouche avec de petites lèvres pincées dénote davantage de la fermeture, peut-être à ma sensualité ou encore à exprimer mes désirs et mes besoins.

La lèvre supérieure est reliée à mon côté féminin, c'est-à-dire non-rationnel, donc à coloration émotionnelle. La lèvre inférieure est reliée à mon côté masculin, c'est-à-dire rationnel, donc à caractère analytique.

Herpès buccal (ou feu sauvage)

Se caractérise par une éruption cutanée, consistant en vésicules groupées sur une base inflammatoire. Elle peut se manifester lorsqu'on s'en veut d'avoir dit quelque chose ou lorsqu'il y a frustration dans des désirs non réalisés. Il se peut également que je veuille éloigner quelqu'un qui veut trop m'embrasser.

Lèvres sèches

Elles sont souvent le signe d'un manque de vitalité occasionné par la fatigue, le souci, ou le sentiment de solitude.

LES MACHOIRES ET LES DENTS

Elles représentent ma capacité de mordre dans de nouvelles idées. Lorsque, dans ma colère, je serre les dents, je peux en avoir mal aux mâchoires.

Mal de dent

Il est souvent relié à la peur des résultats face à une décision à prendre. Il se peut que j'aie peur de mordre dans une nouvelle situation ou dans de nouvelles idées.

Un dentiste, qui avait assisté à l'un de mes ateliers, demandait aux patients qui venaient le consulter pour un mal de dent, s'ils avaient une décision à prendre. Très souvent le patient, surpris, lui répondait: "Comment savez-vous cela?"

La carie dentaire

La carie est une maladie inflammatoire des os et des dents se terminant par leur ramollissement et leur destruction. L'expression "avoir une dent contre..." nous met sur la piste des causes de la carie dentaire, car la carie dentaire est souvent le signe que l'on en veut à une personne. La colère ou la rancoeur nous gruge l'émail des dents.

Le mal des gencives

Cette douleur est souvent reliée à une indécision de longue date. Une participante vient me voir pour un très gros problème de gencives et je lui demande quelle est la décision qu'elle remet à plus tard. Elle me dit qu'elle rêve depuis des années d'être dessinatrice de mode mais qu'à cause de ses moyens financiers, elle a toujours reporté sa décision. Que fait-elle de son pouvoir de création? Rappelons-nous la parabole des talents. Ce que l'on n'utilise pas, on le perd. C'est ainsi qu'une maladie des gencives peut entraîner la perte de dents.

On décide et les événements arrivent.

Il est dit: "Aide-toi et le ciel t'aidera."

Gencives qui saignent

Perte de joie dans les décisions prises. On se demande si l'on a pris la bonne décision.

186

Gingivite

L'infection des gencives est très souvent un signe de colère envers sa propre indécision ou celle d'une personne dont la décision nous concerne.

LA LANGUE

Représente notre capacité de goûter ou d'exprimer notre pensée. Avoir un **dégoût** de la vie ou d'une personne peut nous amener un problème avec notre langue.

Se mordre la langue

Très souvent relié au fait de s'en vouloir pour ce qu'on a dit. On nous a appris qu'il fallait se tourner la langue sept fois avant de parler.

Le filet de la langue

Le filet de la langue se rencontre chez les enfants à la naissance. Il se peut que, dans une vie passée, la personne ait souhaité retenir sa langue.

LE PHARYNX

Il est situé au carrefour des voies alimentaires et des voies respiratoires.

Pharyngite

Appelé aussi mal de gorge, la pharyngite est souvent le résultat d'une émotion de colère que j'ai ravalée. Avoir mal dans cette région, sans qu'il y ait inflammation ou infection, mais avec la sensation d'avoir quelque chose de pris dans la gorge, signifierait qu'il y a une idée que je n'ai pas avalée et, si cela persiste, il se peut que je me refuse à l'avaler et qu'elle reste dans la gorge.

L'OESOPHAGE

Il représente le passage des idées. C'est le conduit par où doivent passer les aliments (idées). La peur ou l'angoisse peuvent le faire se contracter; une tristesse peut même provoquer un blocage. Lorsqu'une personne mange sous le coup d'une émotion (ex.: peine); elle aura la sensation que cela passe de travers.

Roger a des varices d'oesophage et des brûlements d'estomac

Roger a un frère que l'on surnomme la "bol" car il réussit bien à l'école. Dans le but de récupérer l'amour de ses parents, qu'il croit être davantage dirigé vers son frère, Roger fait quantité de travaux pour eux. Il est d'une débrouillardise assez exceptionnelle, mais continue à penser: "Moi, je n'ai pas le talent de mon frère. Il faut que je travaille très dur pour arriver à un moindre résultat." Cette dévalorisation de lui-même lui fait faire bien de la bile. Il a beaucoup de difficultés à avaler que l'on remarque moins ses efforts que le talent de son frère. Plus tard, le voilà devenu cadre par ses efforts et sa débrouillardise, mais il travaille encore avec des gens qui détiennent des diplômes nettement plus impressionnants que les siens. Alors, comme les émotions qu'il vit ont une résonance avec les événements de son enfance, les effets sont amplifiés. Il y a de la colère dans cette situation à laquelle il n'a jamais fait face. En se libérant de cette colère et en acceptant qu'il n'a pas besoin de tous ces diplômes, qu'il détient des talents naturels, qu'aucun diplôme ne lui aurait apporté et que personne ne met en question sa compétence, sauf lui-même, ses varices d'oesophages disparaissent et l'estomac se calme graduellement.

L'ESTOMAC

Il représente ma capacité de digérer de nouvelles idées.

Mal à l'estomac

Quelques chose qui, en plus de nous être difficile à digérer, nous fait mal.

Indigestion

L'indigestion peut se manifester par des brûlements quand la digestion se fait mal. Qu'aurait-on entendu à table ou après le repas que l'on aurait pas digéré? A moins que ce ne soit une personne ou une situation que l'on ne digère pas.

Brûlement d'estomac

Ils sont souvent le signe d'une situation qui me brûle, que je ne peux accepter parce que je trouve cela injuste ou encore parce que je me sens impuissant face à cette situation. Selon la typologie d'Hypocrate, les bilieux sont décrits comme des personnes ayant un tempérament colérique et le visage grimaçant. Peut-être ont-ils tendance à se faire trop de bile et avoir une digestion perturbée, ce qui expliquerait leur visage grimaçant. Si ces brûlures persistent, elles peuvent donner naissance à un **ulcère d'estomac ou du duodénum**. L'ulcère d'estomac est fréquent chez les alcooliques. Bien sûr, il y a le phénomène de l'alcool, mais en plus, on retrouve le sentiment d'impuissance et de révolte. Souvent, la personne est rongée par le ressentiment et la haine, ce qui la gruge intérieurement. (Voir le chapitre XII).

Vomissements

Ici, il y a rejet de ces idées que l'on n'a pas digérées ou rejet d'une personne ou d'une situation.

Gastrite

La gastrite est une inflammation de la muqueuse de l'estomac. Elle est souvent reliée à la colère parce que les événements ne se passent pas selon nos goûts ou encore que les autres n'agissent pas selon ce que l'on attend d'eux. La gastrite traduit souvent le message: "Si seulement vous me ressembliez davantage."

Ulcère de l'estomac

C'est une lésion de la muqueuse gastrique qui ne se cicatrise pas normalement. Elle est souvent reliée à une situation qui m'irrite, me gruge, qui me fait mal et que je ne peux digérer. Il se peut que je trouve cette situation injuste.

LE FOIE

Il représente ma capacité de m'adapter aux nouvelles situations. Glande de très fort volume située dans la partie supérieure droite de l'abdomen, le foie secrète la **bile** et joue un rôle très important dans les échanges. Hypocrate définissait les **bilieux** comme des personnes ayant un tempérament colérique. La colère naît de la contrariété (voir le chapitre XII). Le foie est souvent défini comme le foyer de la colère qui vient d'une résistance à une personne ou à une situation.

Hépatite

Elle est une inflammation du foie par un virus et elle est très souvent reliée à de la colère accompagnée de ressentiment.

Cirrhose

La cirrhose est une sclérose diffuse du foie. Elle se retrouve fréquemment chez les alcooliques à cause, bien entendu, de l'alcool consommé. Mais elle traduit également un durcissement créé par l'agressivité, le ressentiment et la culpabilité.

Calculs biliaires ou lithiase vésiculaire

Appelés aussi "pierres", les calculs biliaires sont formés par des dépôts de cholestérol ou de chaux. Il peut se former un seul gros calcul ou plusieurs petits. Une personne peut avoir des calculs depuis des années sans en être consciente, mais lorsque l'un de ceux-ci s'engage dans le canal cholédoque, de vives douleurs sont alors ressenties. Leur formation provient de pensées dures accumulées au fil des années. Leur déplacement survient presque toujours à la suite d'une émotion forte.

LE PANCRÉAS (Voir le chapitre XIX).

L'INTESTIN

Il représente ma capacité de relâcher, de laisser aller.

Intestin grêle

Le petit intestin (ou intestin grêle), est l'endroit où s'effectue le passage des matières absorbables, c'est-à-dire celles qui doivent passer à travers la muqueuse de l'intestin, pour pénétrer dans la circulation.

Duodénum

Le duodénum est la première portion de l'intestin grêle. Il

reçoit deux canaux importants: l'un vient du pancréas et déverse le suc pancréatique, et l'autre, le cholédoque, déverse la bile. C'est là que se termine la digestion.

Ulcère du duodénum

Comme pour l'ulcère de l'estomac, il y a des pensées ou une situation qui nous grugent, qui nous irritent ou nous font du mal. Rappelons-nous que c'est la région du plexus solaire (centre des émotions et des désirs).

Iléite ou maladie de Crohn

Affection de l'intestin grêle qui touche plus particulièrement l'iléon. Elle est caractérisée par une inflammation aiguë ou chronique nécrosante et cicatrisante. Les personnes souffrant de la maladie de Crohn sont souvent des personnes qui se déprécient mais qui, à la fois, s'attirent des personnes par lesquelles elles se sentiront dominées et dépréciées, ce qui les révolte.

Lise souffre de la maladie de Crohn

Lise est l'unique fille de sa famille. Elle a deux frères. Dans sa famille, on valorise davantage les hommes. Ses deux frères sont la fierté de la famille. Ils peuvent songer à de longues études universitaires, elle doit songer au mariage. Cette domination de la masculinité la révolte. Pour couronner le tout, elle épouse un brillant avocat, beau comme un dieu, que toutes les femmes lui envient. Mais elle se sent sans valeur et dominée par lui. C'est peu de temps après son mariage qu'elle développe la maladie de Crohn.

Le côlon ou gros intestin

Il sert à l'élimination des déchets vers l'extérieur. Le gros intestin se divise en trois parties: le caecum, le côlon et le rectum.

Les coliques

Les coliques sont des douleurs d'intensité progressive causées par des contractions. Elles sont le résultat de stress et de tensions. La personne qui se met trop de tensions dans ce qu'elle a à faire, souffre souvent de coliques. Les bébés de mères anxieuses ont souvent des coliques car cette nervosité est ressentie par le bébé et l'insécurise.

Une mère ayant un bébé souffrant de fortes coliques me téléphone un jour, ne sachant plus que faire. Comme c'est son premier enfant, elle se sent très insécure face à son nouveau poupon. Je lui suggère de se détendre avec son bébé en utilisant une musique de détente, de s'occuper davantage d'elle et de son bébé et d'oublier un peu sa routine habituelle. Ce qu'elle fit. Elle s'en porta beaucoup mieux et les coliques du bébé disparurent.

La colite

La colite est une inflammation du côlon. Elle se rencontre chez les enfants qui ont peur de la réaction d'un de leurs parents. Ils se retiennent dans leurs agissements. Chez l'adulte, ce parent est remplacé par une personne qui représente l'autorité pour eux, souvent un conjoint ou un patron.

Constipation

Elle est reliée au fait que je me retienne dans ma manière d'être ou dans mes désirs par des "Qu'est-ce qu'ils vont dire? Qu'est-ce qu'ils vont penser?" J'ai peut-être peur de déranger les autres, à moins que je ne m'accroche à mes principes, mes habitudes, à des choses du passé et que je ne veuille en déroger par crainte du jugement des autres. J'ai peur de laisser aller ce dont je n'ai plus besoin ou de me laisser aller.

Gaz intestinaux (ou flatulence)

Ils sont souvent signe que je m'accroche à quelqu'un ou à une situation qui n'est plus bénéfique pour moi mais qui représente ma sécurité affective ou matérielle. Ils peuvent également être la résultante de peurs.

Lorsque j'ai voulu quitter l'emploi que j'occupais au laboratoire de microbiologie (j'y avais un très bon salaire, d'excellentes conditions de travail, en plus d'une sécurité d'emploi) pour m'orienter vers les médecines douces qui, elles, ne m'offraient pas de salaire (du moins au début) et aucune sécurité d'emploi, je mis six mois à me décider. C'est durant cette période que je fus le plus affectée par des gaz intestinaux. Lorsque je quittai cet emploi, qui ne correspondait plus à mon potentiel, les gaz cessèrent. Je n'ai, par la suite, jamais regretté mon choix.

Un autre exemple. J'ai peur lorsque je ne sens pas le sol sous mes pieds et un jour j'entrepris la descente d'une rivière en canot. On me dit, une fois dans le canot, qu'il y avait vingt mètres d'eau. À l'arrivée, je ne me sentais plus les jambes (peur pour ma survie reliée à mon centre coccygien) et j'ai été sujette à des gaz intestinaux toute la journée.

Diarrhée

Elle est souvent reliée à un rejet trop rapide d'idées nouvelles qu'on nous propose ou encore rejet d'une situation où l'on se sent pris.

En juillet 1988, j'entendis parler d'un maître assez particulier en Inde. Comme je me trouve, à ce moment-là, en Écosse, je décide de m'y rendre. Je me retrouve dans un ashram où l'on dort sur un sol de ciment, à raison de plus de deux cents personnes pour un même bâtiment. Il faut faire la file pour obtenir une boisson et une autre file pour le repas. Cet ashram n'est pas ce à quoi je m'attendais. J'y trouve de l'austérité, peu de compréhension et d'amour. Je développe, ou attire à moi, une infection intestinale du nom de **amybiase**. Avec cette infection, je pouvais plus rien avaler et j'avais une forte diarrhée. Cela allait exactement avec ce que je vivais. Je ne pouvais plus rien prendre de cet ashram et je rejetais tout. De plus, je me sentais prise, car j'attendais un billet d'avion que j'avais commandé pour me rendre dans les Himalayas. Une semaine après mon départ, l'amybiase disparut, je dus cependant avoir recours à des médicaments. Je refis une seconde fois cette même infection, pour des raisons similaires. Je me sentais prise, cette fois, dans une chambre d'hôtel à Delhi. Je ne pouvais, encore une fois, plus rien prendre de cet endroit et j'attendais l'argent nécessaire pour partir. Cette fois-là, cependant, j'ai compris en examinant les situations et je n'eus pas besoin de médecin ni de médicaments pour m'en libérer. (Voir "Viviane" au chapitre XIII).

Appendicite

L'inflammation de l'appendice est souvent associée à une colère qui provient du sentiment d'être opprimé, d'être devant une situation sans issue qui nous fait "bouillir" intérieurement. Si la tension créée par cette colère intérieure devient trop forte, elle peut faire éclater l'appendice, entraînant cette fois une **péritonite**.

J'ai connu un homme qui ne se fâchait jamais, qui passait pour un homme doux. Il était du genre soumis, au service de tout le monde. Mais il était continuellement affecté de maladies reliées à la contrariété: asthme, furoncles, eczéma. C'est lorsque son père lui annonce qu'il a l'intention de s'installer chez lui pour quelques temps qu'il déclenche une première crise d'appendicite. Comme il ne sait pas dire non, il ravale sa colère. Six mois plus tard, il se sent pris dans une situation où il ne voit pas d'issue, il fait une forte fièvre avec une nouvelle crise d'appendicite. Sa situation s'amplifiant, ainsi que sa colère intérieure, un mois seulement après cette deuxième crise, l'appendice éclate, mais cette fois avec péritonite. Dans le cas présent, on voit que cette colère était retenue car, à l'extérieur, cette personne n'était nullement colérique. À la thérapie, on retrouve que celle-ci n'a jamais accepté aucune forme d'autorité. Enfant, lorsque son père le battait, il ne réagissait pas, mais intérieurement, il le détestait, ce qu'il continue de faire dans sa vie. À l'extérieur, il était un homme gentil et à l'intérieur il était révolté.

Diverticulite

Forme de petites hernies de la muqueuse intestinale appelées diverticules. L'inflammation des ces derniers s'appelle **diverticulite**. Elle est souvent reliée à une colère parce que l'on se sent retenu dans une situation sans issue et qui nous est à la fois douloureuse et désagréable.

Tumeur de l'intestin

Comme pour la majorité des kystes ou des tumeurs, elle est reliée à un choc émotionnel ressenti très fortement au niveau du plexus solaire. La perte d'un être cher, par exemple, que l'on retient par ses pensées.

Cancer de l'intestin (Voir le chapitre X).

Parasites intestinaux

Les parasites intestinaux (ténia, giardia, entamoeba, etc.) proviennent souvent du sentiment qu'on a abusé de nous, qu'on nous a parasité et qu'on en est la victime. (Les gens des pays pauvres pensent souvent qu'ils sont exploités, abusés par les pays riches et ce sont les endroits où l'on rencontre le plus de parasites.) Ils peuvent provenir d'une culpabilité de s'être laissé aller trop facilement et que les autres en ont abusé ou encore de la peur de contracter ces parasites (se rappeler l'histoire de "monsieur Choléra" au chapitre XI). Beaucoup de gens qui se rendent dans des endroits où ces parasites prolifèrent partent avec une telle peur qu'ils se prédisposent déjà à leur venue.

Gastro-entérite

Cette infection est très souvent reliée au rejet d'une situation, avec colère. Cela peut aller même jusqu'au rejet de la vie. La vie nous sort autant par un bout que par l'autre.

Un participant à l'un de mes ateliers fit une gastro-entérite juste après un atelier que je devais donner, mais où j'avais dû être remplacée à la dernière minute. Sa réaction fut violente. Il avait vécu beaucoup de colère, s'était senti manipulé, trahi, non respecté. Cela allait en résonance avec d'autres situations vécues et qui concernaient sa mère. Comme je représentais à nouveau cette autorité, il revivait cette situation avec colère et rejet. Cela lui avait même donné l'envie de mourir. C'est ce qu'il manifestait par cette gastro-entérite.

Rectum

Le rectum est une ampoule où s'accumulent les matières fécales jusqu'à ce que se produise le besoin de défécation.

Hémorroïdes

Les hémorroïdes sont des varices ou dilatations des veines de l'anus et du rectum. Elles sont souvent reliées à une surcharge, à de la pression qui nous fait vivre de grandes tensions où l'on ne sait pas comment ou à qui demander de l'aide. Lorsqu'il y a saignement, ce sont les larmes que l'on voudrait verser sur sa situation où la joie quitte notre être.

Anus

Partie terminale du tube digestif qui *représente ma capacité de retenir ou de relâcher.*

Fissure anale

Malaise souvent relié au sentiment d'être assis entre deux chaises, d'être en attente d'un changement de situation. Exemple:

je vis avec une personne et je désire être avec une autre. J'ai un travail en milieu hospitalier et je m'occupe de médecine douce à laquelle je voudrais consacrer tout mon temps. Il se peut aussi que je pense qu'une situation me fend le "derrière".

Fistule anale ou abcès

Elle résulte très souvent d'une colère dans ce que l'on retient et qui nous échappe malgré nous. Il peut s'agir aussi de pensées de vengeance que l'on garde face à un événement passé.

CHAPITRE XVIII

LE SYSTÈME REPRODUCTEUR

Pour permettre la survie du genre humain, une autre fonction devient alors essentielle: c'est la reproduction. Cette fonction a pour premier rôle d'assurer la continuité de l'espèce tout comme la nutrition pourvoit au maintien de l'individu. Mais pourquoi donc assurer la continuité de l'espèce? Pour qu'il y ait évolution. Sans continuité, il n'y aurait pas d'évolution. Il est également intéressant d'observer que l'aspect féminin est le complément de l'aspect masculin. Tout comme la main droite est le complément de la main gauche. Pourrait-on applaudir d'une seule main? La création vient de la réunion. C'est pourquoi, consciemment ou inconsciemment, nous sommes attirés vers l'autre aspect de nous-même et c'est lorsqu'il y a réunion que s'accomplit la fusion qui est création. Mais cette fusion peut s'accomplir sur le plan physique comme elle peut s'accomplir sur d'autres plans. C'est vers ces autres plans que l'homme éveillé tendra. Il faut savoir aussi que l'énergie sexuelle est la plus forte énergie du corps et qu'elle est reliée à l'énergie du centre laryngé (voir "Les centres d'énergie").

Aussi, très souvent, lorsqu'il y a problème au niveau des organes reproducteurs, la gorge, la thyroïde ou les voies respiratoires en sont affectées. Nous n'avons qu'à remarquer le changement de la voix qui se produit à la puberté. La majorité des problèmes viennent de culpabilités (reliées souvent aux tabous qu'on n'a pas acceptés), colères, rancunes, haine, jalousie, possessivité, etc. Aussi est-il important de s'en libérer pour vivre davantage dans la paix, l'amour (de soi et des autres) et dans la joie d'être vivant.

AU FÉMININ

Nous élaborerons principalement sur les ovaires, les trompes de Fallope, l'utérus et le vagin.

SYSTÈME REPRODUCTEUR FÉMININ

trompe de fallope

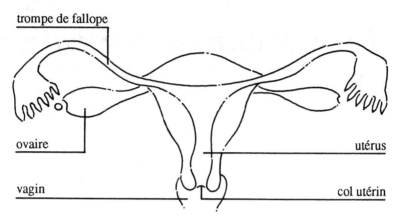

ovaire

utérus

vagin

col utérin

LES OVAIRES

Ce sont deux glandes où se forment les ovules qui sont les éléments nécessaires à la reproduction. Les ovaires *représentent notre capacité de créer (créativité), notre désir d'enfanter.*

Kyste aux ovaires ou ovarite

Le kyste est une prolifération cellulaire dans un tissu et l'ovarite, une inflammation d'un ovaire. Ils sont souvent associés à la frustration dans sa créativité ou dans son désir d'enfanter. Ce peut être aussi la peur de ne pouvoir avoir d'enfants. Voir un peu plus loin "Marcelle a un cancer du col utérin."

TROMPES DE FALLOPE

Ce sont les conduits de l'ovule, de l'ovaire à l'utérus.

Salpingite

Infection des trompes provenant souvent d'une colère au plan sexuel envers un partenaire.

Grossesse ectopique (tubaire)

C'est dans le premier tiers des trompes que se réalise la fécondation et, par la suite, l'oeuf chemine vers l'utérus. Durant le trajet, il commence à se diviser. Si l'oeuf n'entreprend pas ce trajet vers l'utérus, l'oeuf grossit dans la trompe et peut la faire éclater; c'est ce qu'on appelle une grossesse ectopique. Elle est souvent reliée au fait, qu'inconsciemment, la femme désire se retenir d'enfanter, l'oeuf est retenu.

Céline et deux grossesses ectopiques

Céline avait déjà un fils adolescent qu'elle adorait. Depuis deux ans, elle vivait avec un homme plus jeune qu'elle qui désirait ardemment avoir des enfants. Céline ayant déjà dépassé la trentaine n'avait pas tellement envie de recommencer à pouponner, mais, pour plaire à l'homme qu'elle aimait, elle accepta le risque d'être à nouveau enceinte.

Quelques temps après, elle découvre qu'elle est enceinte, mais qu'il s'agit d'une grossesse ectopique et la trompe où l'oeuf se développait éclate. Profonde déception pour elle et son conjoint. Nouvel essai: seconde grossesse ectopique où l'autre trompe éclate.

Elle ne peut donc plus donner d'enfants à son mari qui ne peut lui en vouloir, car elle a risqué sa vie par deux fois pour lui donner un enfant. Inconsciemment, Céline a bloqué cette grossesse qu'elle ne désirait pas pour elle-même, et elle admet, en thérapie, qu'effectivement son désir était davantage axé vers une nouvelle carrière que vers la maternité.

L'UTÉRUS

L'utérus est le lieu où se fait la nidation. *Il représente donc le foyer.*

Fibrome utérin

Le fibrome utérin est une tumeur formée par des tissus fibreux. Il vient très souvent d'un choc émotionnel concernant son foyer (famille). Marthe a développé un fibrome utérin suite à la mort de son fils.

Cancer du col utérin

Phénomène très souvent relié à une culpabilité ou à du ressentiment face à son foyer (famille).

Marcelle a un cancer du col utérin

À l'âge de 20 ans, Marcelle perd un frère qui meurt dans un accident de moto. Elle était très proche de lui. Par la suite, elle développe un **fibrome utérin** (dû au choc émotionnel qu'elle avait vécu lors du décès de son frère) qu'on lui retire par chirurgie. Suite à cette chirurgie, le médecin lui dit qu'il y a peu de chances qu'elle ait un enfant. La peur de ne pouvoir enfanter l'amène à développer un sérieux **problème à la trompe et à l'ovaire gauches** qui nécessite, à nouveau, une intervention pour lui retirer la trompe et l'ovaire. Suite à cette opération, elle rejette cette influence (qu'elle a très peu de chances d'avoir un enfant). Depuis quelques temps, elle fréquente un homme et décide de tenter sa chance de devenir enceinte et elle le devient. Ils s'installent ensemble. Le père de Marcelle était alcoolique lorsque Marcelle était enfant. Ce qu'elle découvre au cours de sa grossesse, c'est que son conjoint est la réplique de son père. Elle vit beaucoup de colère dans ses relations avec lui et développe de très **gros furoncles** à l'entrée du vagin et même sur l'utérus. Elle sera opérée trois fois durant sa grossesse pour extraire ses furoncles.

Puis, naît un beau petit garçon. Ses relations conjugales continuent de s'envenimer, et un an plus tard, alors qu'elle songe à la séparation, elle devient à nouveau enceinte. Ne désirant nullement cet enfant, elle fait une **fausse-couche** et se sépare. Sa mère lui dit: "Moi, je me suis sacrifiée toute ma vie pour mes enfants." Marcelle se sent coupable face à sa mère qui s'est sacrifiée pour elle et aussi envers son fils pour avoir pensé à elle. C'est ainsi que moins d'un an après sa séparation elle développe un cancer du col utérin. Suite à la prise de conscience qu'elle fait, par la suite, les cellules cancéreuses régressent et c'est la guérison.

J'ai mentionné, au début de ce livre, que j'avais eu un cancer du col utérin et ce fut pour les mêmes raisons. Ma mère aussi m'avait dit qu'elle s'était sacrifiée toute sa vie pour ses enfants. J'ai développé ce cancer moins d'un an après ma séparation. Je me sentais coupable de priver ma fille de son père. Et cette culpabilité avait une résonance très forte, car mon père étant décédé lorsque j'avais 6 ans, j'avais manqué d'un père et par le choix que j'avais fait, ma fille vivrait la même chose. Lorsque j'acceptai que je n'étais nullement responsable du choix de ma mère (de se sacrifier) et que je n'étais pas responsable de ce que vivait ma fille, puisque cela faisait partie de ce qu'elle avait à expérimenter, comme cela faisait partie de ce j'avais eu à vivre, je me suis totalement libérée de cette culpabilité et, par le fait même, de ce cancer du col utérin. (Voir "Moi et mon cancer du col utérin" au chapitre X).

On a assisté, ces dernières années, à une prolifération du cancer du col utérin et l'on pourrait s'interroger pour savoir s'il n'y aurait pas un lien avec l'augmentation du nombre de séparations conjugales.

Ces cancers, où l'on doit subir des interventions chirurgicales, peuvent donner lieu à des **adhérences** qui sont des accolements intimes entre viscères. Elles représentent les culpabilités, rancunes, haines ou illusions auxquelles la personne s'accroche. Après les interventions nécessitées par le cancer utérin que j'avais développé, j'ai formé une masse importante d'adhérences qui reliaient mes trompes, mon utérus et mes intestins. On m'avait dit qu'il n'y avait pratiquement aucune chance que j'aie un autre enfant. Pourtant, j'ai eu un autre enfant. Après la césarienne, on m'a retiré cette masse d'adhérences, me disant que j'en referais sûrement après l'opération. Je n'en ai jamais refait, car je m'étais libérée de la culpabilité à laquelle je m'étais accrochée.

Endométriose

Maladie caractérisée par la présence de muqueuse utérine en dehors de sa localisation normale.

Diane fait de l'endométriose

Diane a 36 ans. Elle est mariée depuis 10 ans et n'a pas d'enfant. Son cas est intéressant puisqu'il ressemble à plusieurs autres cas d'endométriose que j'ai reçus en thérapie. Lorsque Diane est enfant, son père et sa mère vivent des difficultés. Son père, qu'elle estime beaucoup, disait: "La pire erreur que peut commettre un homme, c'est de se marier et d'avoir des enfants". Quelque part, elle rejetait l'idée d'avoir des enfants. Aussi développe-t-elle d'abord des problèmes menstruels. Un an après la mort de son père, elle se marie et développe graduellement de l'endométriose.

Dans plusieurs cas rencontrés, les personnes ont souvent peur (inconsciemment) que la venue d'un ou d'enfants brise l'harmonie de leur couple, ou encore, craignent de ne pas être à la hauteur de leur rôle de parents, à moins que ce ne soit l'incertitude d'amener des enfants dans un monde qu'elles refusent elles-mêmes.

MENSTRUATIONS (OU RÈGLES)

Fonction naturelle qui provient d'une rupture des vaisseaux sanguins de la muqueuse utérine lorsqu'il n'y a pas eu de fécondation.
Lorsque j'étais enfant on appelait, à tort, cette période "être malade". Je me souviens d'une personne qui me racontait que le jour où elle eut ses règles, une tante de sa mère était à la maison. Apprenant la nouvelle, elle lui dit: "Ma pauvre petite fille, tu en as pour 40 ans à être malade". Chaque mois, lors de ses règles, elle est effectivement malade. (Voir le chapitre IV). Lorsqu'elle se libère de cette influence, elle se libère également des problèmes reliés à ses menstruations.
Une autre vivait de l'impatience juste avant ses règles. Elle se rappela qu'elle avait vécu beaucoup d'impatience face à l'apparition de ses règles. Toutes ses amies avaient été menstruées vers 12 ou 13 ans, elle le fut dans sa quatorzième année. Inconsciemment, elle revivait cette impatience. En la conscientisant, elle se libéra de cette impatience qui la rendait aigrie avec son entourage avant ses règles.

Les problèmes de menstruations

Ils peuvent avoir un lien avec le **rejet de sa féminité**. La fille dont les parents à la naissance désiraient un garçon pourra rejeter sa féminité dans ses comportements, allures, vêtements, coupe de cheveux. Ce rejet peut s'accompagner de problèmes menstruels. (Voir "Françoise" au chapitre VI).
Ce rejet peut aussi provenir du fait que la fille ait été abusée sexuellement avant l'apparition de ses règles. Souvent, elle porte de la culpabilité ou encore de la rancune envers soit la personne qui

a abusé d'elle, soit envers la personne qui, selon elle, aurait dû intervenir. Elle peut aussi rejeter sa sexualité. Les problèmes peuvent apparaître au niveau des menstruations pour s'amplifier au niveau de ses relations sexuelles et être accompagnées de violentes migraines, soit avant, soit pendant les règles. Revoir le cas de "Viviane", au chapitre XIII et le cas de "Jeannine", au chapitre XII.

Règles abondantes ou ménorragies

Il peut s'agir d'une perte de joie de ne pouvoir enfanter. On la retrouve plus fréquemment chez une femme qui a un stérilet et qui ne l'accepte pas. Une participante qui s'était fait installer un stérilet, en avait perdu connaissance. En fait, cette personne désirait plus que tout au monde avoir un enfant, mais comme son mari n'en désirait pas, par amour pour ce dernier, elle acceptait ce moyen de contraception, par contre, inconsciemment, elle le rejetait ce qui lui apportait beaucoup de douleurs, de problèmes aux ovaires, en plus de règles abondantes.

Aménorrhée

L'absence de règles est très souvent reliée à un désir de cesser de procréer. J'ai entendu des personnes dire: "Ma mère a cessé d'être menstruée à l'âge de 34 ans et moi, à 32 ans, je suis comme ma mère". Il se peut que, comme sa mère, elle ait eu envie de mettre fin à la fonction de reproduction ou encore qu'elle se soit programmée qu'elle était comme sa mère.

Ménopause

Arrêt définitif des menstruations. Phénomène aussi naturel que les menstruations. Les problèmes survenant pendant cette période, les bouffées de chaleur entre autres, proviennent très souvent de la peur de vieillir, de devenir inutile.

VAGIN

Il est relié à la sexualité et *représente le principe féminin, réceptif ou YIN.* C'est le canal de la rencontre des principes féminin et masculin.

Démangeaisons vaginales (sans infection)

Souvent reliées à de l'impatience envers son partenaire dans ses relations sexuelles.

Vaginite ou leucorrhée (pertes blanches)

Infection du vagin par différents agents viraux, parasitaires fongiques ou microbiens reliés à un débalancement du PH vaginal ou à une maladie transmise sexuellement. Dans la majorité des vaginites, nous retrouvons une culpabilité sexuelle ou encore de la colère envers son partenaire sexuel. La vaginite peut être un moyen de se couper de ses relations avec son partenaire. Il se peut que l'on se sente coupable d'utiliser sa sexualité à des fins personnelles en vue d'obtenir ce que l'on désire de son partenaire.

Marie-Andrée souffre d'herpès vaginal

Marie-Andrée me consulte pour de l'herpès vaginal. Il en ressort que, selon ses principes bien encrés, il est mal d'avoir des relations sexuelles uniquement pour la satisfaction de ses sens. Sa dernière crise d'herpès, celle qui nous a permis d'identifier la cause de cet herpès, survient quand elle reçoit chez elle un ami qui n'est pas un "grand amour". Elle a une relation avec lui et s'en veut d'avoir cédé aussi facilement. Le lendemain, elle observe un début d'herpès. Dans la tête de Marie-Andrée, elle ne peut avoir de relation qu'avec un homme qu'elle aime profondément ou avec son mari. Comme elle est à la recherche de ce grand amour, elle accepte tout de même des relations sexuelles occasionnelles, mais s'en veut par la suite. Lorsqu'elle se libère de sa culpabilité, elle se libère également de ces vaginites à herpès.

Fissure vaginale

Très souvent reliée au fait de se sentir partagée, déchirée entre deux partenaires sexuels (soit un mari et un amant). Il s'agit alors de faire un choix pour cesser de se sentir partagée.

Abcès ou furoncles vaginaux

Très souvent reliés à de la colère envers son partenaire parce que les relations sexuelles qu'on a avec lui ne nous satisfont pas, trop souvent ou trop rarement, trop long ou trop court. Frustrantes, décevantes, etc.

GROSSESSE

Période de gestation.

Maux de coeur

Plus fréquents chez les femmes qui craignent que cet événement change leur vie de couple, elles ont mal à la vie. Lorsqu'elles acceptent bien cette nouvelle idée, les maux de coeur cessent. Il peut s'agir aussi d'un plus grand besoin d'attention durant cette période. Lorsqu'il y a vomissement, il peut y avoir rejet de cet état.

Oedème

L'oedème aux jambes ou à d'autres parties de son corps est souvent relié au fait de se sentir limité par son état, dans ses désirs d'avancer ou de faire ce que l'on aimait: danser, faire du sport, faire l'amour.

Démangeaisons sur l'abdomen

Surtout vers les derniers mois de la grossesse, j'ai vécu ces démangeaisons et le médecin me disait que c'était des hormones de fin de grossesse. En fait, c'était de l'impatience face à la naissance et au fait de me sentir grosse.

Éclampsie

Intoxication de la grossesse, elle est souvent reliée à une profonde culpabilité ou rancoeur envers le partenaire responsable en partie de cette grossesse. À moins qu'il ne s'agisse d'un rejet total de cette grossesse et que l'on se rejette également.

Fausse-couche

Elle est très souvent reliée au fait que la femme ne désire pas cet enfant (parfois inconsciemment) ou qu'elle ne se sent pas prête. Il se peut aussi que ce soit l'âme de l'enfant qui ne se sente pas prête et qui décide de repartir.

205

Solange et deux fausses-couches

Solange est enceinte d'un premier enfant qu'elle désire de tout son coeur. L'accouchement est difficile et l'arrivée du bébé encore plus et elle ne se sent pas soutenue par son mari. Dix mois après l'arrivée de ce premier enfant, elle est de nouveau enceinte, mais ne désire pas vraiment cet enfant. Ne se sentant pas prête pour un second enfant et ne se sentant pas assez forte, elle fait une fausse-couche. Un an et demi plus tard, elle désire un nouvel enfant. Comme la fécondation se fait attendre, elle fait une neuvaine et devient à nouveau enceinte et tout se passe bien. Deux ans après la naissance de ce dernier enfant, elle est de nouveau enceinte, mais c'est l'époque où des problèmes conjugaux surgissent au grand jour. Elle ne veut plus d'enfant de cet homme et vit une nouvelle fausse-couche. En thérapie, je lui demande si elle voit un lien entre les enfants non désirés et ses fausses-couches et elle me dit qu'elle n'a jamais pensé à cela.

ACCOUCHEMENT

Phénomène naturel de délivrance de l'enfant en gestation rendu à terme.

Les problèmes reliés à l'accouchement sont souvent reliés à des peurs (peur d'accoucher, de souffrir, peur de ce qui va arriver après la naissance de cet enfant). On peut souhaiter retenir cet état privilégié où l'on sent son conjoint plus attentif. Les douleurs lors de l'accouchement peuvent provenir de la croyance qu'il faut souffrir pour accoucher. On se souviendra de cette phrase: "Tu enfanteras dans la douleur".

J'ai eu deux césariennes

Lorsque j'étais enfant, ma mère parla un jour d'une personne dont il avait fallu sortir l'enfant en pièces détachées. Cette histoire produisit en moi une image d'horreur. La mémoire émotionnelle l'avait enregistrée. Et s'il me fallut plus de quatre années pour être enceinte, cette image y était pour quelque chose. Le jour où je ne voulus plus devenir enceinte, et que mes intérêts étaient autres que ceux de le devenir, je le devins. Un mois avant chacun de mes accouchements, je souffrais d'insomnie. Cela provenait de la peur de l'accouchement. Je souhaitais inconsciemment la césarienne où l'enfant ne risquerait pas d'être en morceaux ou déformé, ce qui traduisait bien ma peur. Je ne le compris que lorsque je m'intéressai à la médecine psychosomatique. Combien ai-je entendu de cas où l'on faisait une demande au foetus et que celui-ci la manifestait. Je pense à ce père qui me raconta qu'il avait demandé à l'enfant que portait sa femme de manifester son arrivée avant son départ pour le travail, mais d'attendre au matin pour permettre à sa mère de passer une bonne nuit. Les contractions d'importance débutèrent à 7h30 alors qu'il quittait la maison normalement vers 7h45. Hasard? Je vous laisse y penser.

L'enfant, dans le sein de sa mère, entend tout, ressent tout ce que sa mère vit: chagrins, peurs, angoisses, joies, et cela peut avoir des conséquences déterminantes dans la vie de cette personne.

Un homme de 34 ans avait une énorme peur de conduire une voiture. Malgré les nombreux cours qu'il avait suivis, il n'arrivait pas à la surmonter. Pendant que sa mère le portait, elle avait eu un accident de voiture.

Une infirmière de salle d'accouchement, qui suivait mes sessions, me raconta qu'un jour elle assistait une femme qui ne voulait pas de l'enfant à naître. La femme eut beaucoup de difficultés et il fallut utiliser les forceps. Lorsque l'enfant parut, il était totalement inerte, ne réagissant à aucun stimulus. Le médecin remit l'enfant à cette infirmière, lui demandant de l'envoyer à un hôpital spécialisé. Cette dernière prit le bébé dans ses bras, lui caressa la paume de la main en lui disant: "Tu sais, ta maman, ce n'est pas toi qu'elle ne veut pas. Elle a des difficultés et a besoin d'aide. Elle a besoin de toi, ouvre-toi, tu vas voir comment elle va t'aimer, et toi aussi tu vas l'aimer. Ouvre-toi, tu vas voir que la vie sera belle. Tu peux tellement apporter à ta maman". Graduellement, l'enfant commença à serrer le doigt de l'infirmière. Cinq minutes plus tard, on refit l'apgar à l'enfant et il eut 8 sur 10.

Une autre femme portait en elle le sentiment d'avoir été violée quand elle était enfant et craignait énormément les relations sexuelles. Elle n'avait elle-même jamais été violée, mais lorsque sa mère la portait, cette dernière avait l'impression d'être violée par son mari.

On peut voir quelles peuvent être les conséquences de l'état foetal, d'où l'importance d'entourer cette période de beaucoup de calme, de confiance et de joie. Il est important de communiquer avec ce petit être à naître, de le préparer, de lui dire qu'il est attendu et aimé. On peut lui faire écouter de la belle musique douce qui pourra le calmer après la naissance. La participation du père est aussi très importante.

La naissance est tout aussi importante. La réaction que l'on aura face à l'enfant qui arrive peut avoir aussi des conséquences. Il peut se sentir rejeté, penser qu'il nous a déçu, se sentir responsable de nos souffrances. Il n'est jamais trop tôt pour parler à ce petit être, lui dire qu'il n'est pas responsable de nos souffrances, que même si nous pensions à une petite fille, nous sommes très heureux que ce soit un garçon, etc.

Un jour, j'étais au Nouveau-Brunswick chez des amis qui ont maintenant trois enfants. Le père me dit que son premier fils de 4 ans mettait des heures avant de sourire le matin, qu'il devait le bercer, qu'il était toujours de mauvaise humeur à son réveil. Je lui demandai comment s'était passée sa naissance. Il me répondit qu'ils avaient été très déçus parce que sa femme désirait accoucher à la maison, mais que le médecin ne pouvant venir, elle avait dû accoucher à l'hôpital. Je proposai une expérience. Je leur dis, à sa femme et lui, d'aller le lendemain matin près de Jonathan, avant qu'il se réveille et de lui dire: "Tu sais, Jonathan, bientôt, tu vas ouvrir les yeux à la vie. Papa et maman, on t'attend et on a hâte que tu arrives. Tu vas voir comment la vie va être belle ensemble, etc." Ils firent vivre une nouvelle naissance à Jonathan. Par la suite, cet enfant se réveilla toujours de bonne humeur, avec une hâte de se lever.

Notre réveil *représente souvent notre arrivée dans cette vie et la nuit, notre état d'inconscience qui nous ramène avant la naissance.* La nuit, lorsque nous nous endormons, c'est comme si nous mourrions (est-ce que l'on ne se coupe pas de tout ce qui vit: amis, conjoint, travail, besoin de manger, etc.?) et le réveil serait alors la naissance à la vie. Revoir le cas de "Marguerite", paralysée par la sclérose (chapitre X), qui pouvait marcher la nuit, mais pas le jour. C'est dans la vie qu'elle ne voulait plus avancer.

SYSTÈME REPRODUCTEUR MASCULIN

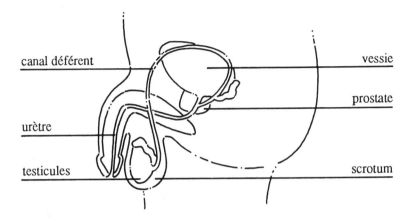

canal déférent

urètre

testicules

vessie

prostate

scrotum

AU MASCULIN

Nous élaborerons principalement sur: la prostate, le pénis, les testicules.

PROSTATE

Glande qui secrète un liquide qui donne au sperme son odeur et sa couleur. *La prostate représente la puissance masculine.* Les problèmes reliés à la prostate se rencontrent généralement vers la cinquantaine, bien que de plus en plus il n'est pas rare de rencontrer ces maladies avant la quarantaine. Leurs causes trouvent souvent leur origine dans la crainte de la diminution de la puissance sexuelle ou encore de sa puissance face à ce que l'on entreprend dans sa vie que ce soit de son travail ou de ses projets..

Prostatite

La prostatite est une inflammation de la prostate qui s'accompagne souvent d'hypertrophie de la glande et de douleurs lors de la miction urinaire. Elle peut provenir d'une colère en regard à des remarques faites par sa partenaire sur sa puissance sexuelle. La personne peut aussi se rejeter face à la diminution de ses capacités.

209

Cancer de la prostate

Voir "Ernest et le cancer de la prostate" au chapitre X.

Calculs dans la prostate

Ils ont souvent leurs racines dans des pensées dures envers sa partenaire sexuelle, le plus souvent sa femme.

PÉNIS

Autant le vagin représente le principe réceptif YIN, autant *le pénis représente le principe masculin, actif ou YANG.* Dans certaines religions de type patriarcal, le pénis, appelé aussi *phallus* est objet de vénération. Freud n'échappe pas à cette tendance partriarcale en énonçant que la libido est foncièrement d'essence mâle et que la femme est à la recherche d'une compensation à la perte du pénis. Cela nous amène à comprendre la valorisation accordée à la puissance (principe masculin). C'est ainsi que plusieurs hommes se sentent obligés de performer au niveau sexuel, ce qui crée bien des difficultés dans les relations sexuelles.

Problème d'érection ou impuissance

Nous rencontrons les problèmes d'érection soit chez des hommes qui considèrent les femmes comme leur mère (autant ils désiraient résister à leur mère, autant il désirent résister à leur femme), ou encore, lorsqu'un homme garde de la rancune à son ex-partenaire sexuelle parcequ'elle la quitté et qu'il ne l'a pas accepté, ou soit qu'il s'est senti trahi par elle.

Éjaculation précoce

Si le phénomène de l'éjaculation précoce est très fréquent, il serait relié au fait que lorsque le garçon découvre sa sexualité, il se masturbe pour éprouver des nouvelles sensations, mais, se sentant coupable, à cause des tabous véhiculés, il le fera très rapidement. Ainsi ses premières expériences sexuelles, il les expérimente souvent dans une excitation rapide. C'est donc la recherche de ses premières expériences qui, inconsciemment, peut le porter à éjaculer rapidement. Il y a également la tension de performer qui peut avoir des résultats contraires à ceux attendus. La solution serait pour l'homme de redécouvrir un plaisir sexuel en se masturbant à nouveau, mais cette fois, en se libérant de sa culpabilité, et ce, en tentant de retarder graduellement son orgasme. La compréhension et l'aide de la partenaire pourront être des plus bénéfiques.

Absence d'éjaculation

Elle est souvent reliée à trop de préoccupations où l'homme n'arrive pas à s'abandonner.

Maladies transmises sexuellement (MTS)

Elles sont très souvent le résultat de culpabilités sexuelles, souvent en résonance avec l'éducation religieuse reçue où la sexualité en dehors du mariage était synonyme de péché, de souillure, etc.

Pourquoi les partenaires vivant en couple sont-ils la plupart du temps exempts de ces maladies? C'est bien souvent parce qu'ils ne vivent pas la culpabilité qu'apporte le changement de partenaires ou de la satisfaction des sens, sans plus.

Testicules

Centre de production des spermatozoïdes qui correspond aux ovaires chez la femme. *Ils représentent l'aspect masculin.* Les difficultés avec les testicules sont souvent reliées au rejet de sa masculinité.

Cancer des testicules

Voir "Benoît et un cancer des testicules" au chapitre X.

Hernie testiculaire

Voir "Hernie" au chapitre XIII.

Andropause

L'équivalent de la ménopause chez la femme. Elle est reliée également à la peur de vieillir, de devenir inutile. Se manifeste surtout par des problèmes au niveau de la prostate.

Stérilité

Féminine ou masculine, elle peut provenir d'un désir inconscient de ne pas avoir d'enfant. Peut-être extérieurement désire-ton un enfant pour répondre aux attentes d'une ou d'autres personnes, mais intérieurement, on ne le désire pas vraiment. La stérilité peut aussi provenir de la peur de l'accouchement (pour la femme) ou de la peur de ne pas être à la hauteur du rôle de parents. Il se peut que ce soit la peur que cet enfant vive la même chose que nous (difficultés, infirmités, maladies) ou encore l'incertitude face à ce monde.

COMPRENDRE L'HOMOSEXUALITÉ

Au tout début, l'Être humain était androgyne: "andros" vient du grec et signifie "homme", masculin, c'est le principe YANG pour les Chinois; "gyne" vient également du grec et signifie "femme" ou "féminin", c'est le principe YIN pour les Chinois. On n'a qu'à penser au mot "gynécologie".

Au départ l'Être humain possédait les deux aspects féminin et masculin, Yin et Yang, puis, survint la fission de l'énergie dont il est question dans la Bible: Dieu sépara le principe masculin - le ciel - et le principe féminin - la terre . C'est à ce propos qu'il faut se référer lorsqu'on lit que Dieu prit une côte d'Adam et fit Ève. On aurait dû lire "un côté", et ce fut la séparation des deux principes. Ce fut la phase de l'involution. Mais, pour ramener vers l'évolution, il fallait une force d'attraction entre ces deux principes, ce qui est représenté par des aimants - l'anode et la cathode - en électricité. Deux pôles positifs se repoussent et un positif et un négatif s'attirent. La réunion de ces deux pôles est création. Deux anodes ne peuvent donner de l'électricité ou de la lumière. L'Être humain doit développer **en lui-même** ces deux aspects - masculin/féminin - ou Yin/Yang. C'est ce qui explique qu'en général, un homme est attiré vers une femme et vice versa.

Que se passe-t-il donc dans l'homosexualité? Il y a ici rejet de l'un de ces aspects que l'on tentera de retrouver parfois chez une personne du même sexe. Voyons quelques exemples:

Huguette est lesbienne (homosexuelle)

À l'âge de 7 ans, Huguette est violée par son père. C'est à cet âge qu'elle rejette les hommes, sans rejeter sa féminité. Comme elle rejette le principe masculin dans l'homme elle le recherche dans une femme, une femme d'aspect masculin. Lorsque je la rencontre, elle se fait inséminer dans le but de devenir enceinte. Elle me dit qu'elle ne peut même pas supporter la pénétration de l'aiguille. Fait étrange, elle développe des anticorps contre les spermatozoïdes, car elle tue la substance mâle comme elle aurait voulu tuer son propre père.

À l'inverse, sa compagne d'aspect très masculin (cheveux courts, toujours en pantalon) est la troisième fille de sa famille et sa mère désirait ardemment un garçon. S'étant sentie rejetée comme fille, elle rejette son principe féminin pour développer davantage son principe masculin et c'est justement ce principe féminin qu'elle recherche chez une autre femme.

François est homosexuel (gai)

François a été battu par son père lorsqu'il était enfant. Sa mère, elle, était douce et compréhensive envers lui. Aussi préfère-t-il l'aspect féminin qu'il développe lui-même, rejetant son aspect masculin représenté par son père. Il se sent toujours attiré par de beaux garçons très virils, mais le refuse. Il épouse donc une femme de caractère très Yang, masculine, qui décide de tout, qui apporte l'argent au foyer alors que lui s'occupe de la maison, des repas. Un jour, il la quitte pour aller vivre avec un homme. François recherche le principe masculin qu'il doit apprendre à développer lui-même.

Jean-Claude est également homosexuel

Lorsque Jean-Claude était enfant, sa mère était très malade. Jean-Claude était conscient des relations sexuelles que son père obligeait sa mère à avoir avec lui, et ce, malgré sa maladie. Il me dira: "Il la violait même sur son lit de mort". Aussi Jean-Claude rejette-t-il cet aspect de sa masculinité. Vers l'âge de 23 ans, il se fiance à une très belle femme, cependant il est incapable d'avoir des relations sexuelles avec cette dernière. Ils consultent un sexologue qui lui demande s'il avait déjà tenté l'expérience avec un homme. C'est ce que Jean-Claude fait. Il ne revient pas vers les femmes mais reste attiré par des hommes efféminés. Jean-Claude recherche le principe féminin, par contre, il ne veut pas être comme son père. C'est ce sentiment qu'il fuit avec une femme.

Marco dont la mère désirait une fille

Quand Marco naît, son père est pratiquement toujours absent. Aussi, sa mère désire-t-elle avoir une fille qui sera pour elle une bonne compagne. Cette compagne, c'est Marco qui, pour plaire à sa mère, développe davantage son aspect féminin. Adulte, il est attiré vers des hommes très masculins qui pourraient être son père. Il recherche son père, en plus de son aspect masculin.

Antoine, marié et homosexuel

Antoine est marié à Ginette depuis 19 ans et il a deux enfants. Il est le quatrième fils de la famille. Avant sa naissance, les parents souhaitent de tout coeur avoir une fille. Lorsqu'Antoine naît, c'est la déception. On lui dit même, lorsqu'il est enfant, à quel point on fut déçu qu'il ne fut pas une fille. Inconsciemment, Antoine rejette son aspect masculin et développe davantage son aspect féminin. À l'adolescence, étant attiré vers les garçons, il a peur. Il rencontre Ginette qui est douce et qui s'attache profondément à lui. Antoine se marie tôt, à la fois par peur de faire de la peine à Ginette, et pour se donner bonne conscience face à son homosexualité. Ce n'est qu'après 12 ans de mariage qu'il commence à vivre des expériences homosexuelles. Son attirance va vers les jeunes garçons beaux et doux. C'est son propre petit garçon intérieur, à qui il n'avait pas permis d'exister, qu'il recherche chez ces jeunes garçons. Lorsqu'Antoine en prend conscience, qu'il accepte d'avoir de telles attirances, mais sans les nourrir, son choix va à Ginette et à ses enfants parce que c'est là la source de son bonheur.

J'ai apporté ces cas dans le but de faire comprendre à tous ceux qui ont peur de l'homosexualité, à ceux qui la juge, aux parents qui ont des enfants homosexuels, que l'**homosexualité n'est pas une maladie héréditaire - physique ou mentale**. Elle n'est que la recherche du principe complémentaire que l'Être humain doit développer.

Si je suis une femme et que mon principe masculin ou Yang est très développé, il y a de fortes chances que, si je ne m'engage pas dans la voie homosexuelle, j'attire toujours des hommes Yin (féminins). Si je suis du genre actif, lui sera plutôt passif. En apprenant, grâce à lui, à être plus réceptive, plus passive, je développe davantage cet aspect de moi-même et lui apprend de moi

214

à être plus actif, à s'exprimer davantage. Ainsi, tous les deux, nous développons ces deux aspects de notre être qui nous conduiront vers l'harmonie. C'est exactement ce que deux homosexuels doivent faire ensemble. Qu'ils soient attirés consciemment ou inconsciemment, la raison demeure la même. Combien d'homosexuels ignorent ces vérités et vivent dans la culpabilité et le rejet de leur personne, dans la honte d'être vus comme marginaux. Peut-on être surpris qu'ils constituent le groupe le plus atteint par les MTS et par le SIDA? (Voir "SIDA" au chapitre X). Le comprendre pourrait leur éviter bien des souffrances.

Pourquoi l'homosexuelle féminine est-elle moins atteinte par ces maladies? C'est qu'habituellement les lesbiennes vivent des relations plus stables que les gais et que leurs relations sont davantage teintées par l'aspect affectif que par l'aspect sexuel. Cela s'explique par le fait qu'en général, la femme s'ouvre au sexuel par l'affectif et que l'homme s'ouvre à l'affectif par le sexuel. Cet aspect de la personnalité fera l'objet d'un chapitre de mon prochain volume.

CHAPITRE XIX

LE SYSTÈME EXCRÉTEUR ET GLANDULAIRE

On donne le nom d'excrétion à l'élimination des déchets liquides ou solubles dans l'eau. L'eau est de loin le plus important produit liquide du catabolisme cellulaire. Le surplus est éliminé par les poumons, les glandes sudoripares (sueur) et les reins. Les déchets solubles dans l'eau dont l'urée, les sels minéraux, les sels biliaires, les toxines etc., sont éliminés soit par les reins ou les glandes de la peau et les déchets solides, par l'appareil digestif (intestins).

L'eau représente la spiritualité. On n'a qu'à se rappeler le baptême de Jésus. L'eau pure est en mouvement perpétuel. L'eau stagnante est polluée. Ainsi en est-il de cette eau dans notre corps laquelle transporte des croyances (religieuses, politiques), des principes, des traditions, des superstitions. S'accrocher à des croyances, à des principes, à des traditions, c'est stagner. L'Être à la recherche perpétuelle de sa vérité est comme l'eau en mouvement. Ses idées sont claires, son coeur est ouvert, il est en harmonie (en équilibre) avec lui-même et avec le monde. Il a une compréhension juste de la vie. Son teint est clair, ses yeux brillants, il rayonne, il est libre parce que non attaché à des croyances, superstitions, principes, traditions ou attentes. Le système excréteur et glandulaire est relié au discernement et à l'équilibre.

L'APPAREIL URINAIRE

Il se compose de deux organes qui sécrètent l'urine (les reins), de conduits reliant les reins à la vessie (les uretères), d'un réservoir (la vessie) et d'un canal évacuateur de la vessie (l'urètre).

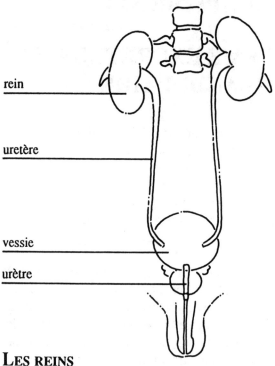

rein

uretère

vessie

urètre

LES REINS

Les reins sont les organes de filtration du sang. Ils servent à l'élimination des déchets et des toxines ainsi qu'à la conservation de l'équilibre osmotique des liquides de mon corps (sang, lymphe, liquide interstitiel). *Ils représentent le discernement et l'équilibre* et filtrent les idées subtiles. Un problème au niveau des reins est très souvent relié au fait que l'on manque de discernement dans ce qui nous est bénéfique et ce qui ne l'est pas. Agir en fonction de principes, de traditions, de préjugés ou d'attentes peut m'amener à vivre de la frustration dans ma vie car je ne suis pas à l'écoute de mes vrais besoins. Il se peut également qu'il y ait un manque d'équilibre dans la façon d'utiliser la vitalité de mon corps: on n'est pas attentif à nos besoins, on abuse de notre corps et voilà que les reins nous le traduisent par notre teint, nos cheveux, nos ongles, nos organes sexuels, etc. Avoir les reins solides est un signe de force, de robustesse.

Néphrite

La néphrite est une maladie inflammatoire du rein souvent reliée à de grandes frustrations ou déceptions dans sa vie.

Maladie de Bright

Elle est aussi appelée néphrite chronique. Ici, en plus de l'inflammation, il y a dégénérescence, nécrose ou sclérose. Dans ce cas-ci, la frustration ou la déception peut conduire la personne à penser que sa vie est un échec, qu'elle a tout raté.

Oedème

La rétention d'eau dans les tissus a pour conséquence de faire enfler le corps tout en l'empoisonnant de ses toxines. Lorsque l'on se sent limité dans ses désirs, que l'on retient des déceptions, de la tristesse, de l'amertume face à son passé, cela peut amener un découragement qui se manifeste par un ralentissement de l'activité rénale.

Calculs rénaux

Ce sont des sels d'acide urique qui, étant trop abondants, ont formé des précipités. Ces précipités peuvent se former dans le bassinet et passer dans la vessie et les uretères. Ils sont reliés à des frustrations ou déceptions qui ont amené des pensées dures envers soi ou son entourage.

Vessie

Elle est le réservoir de l'urine. C'est l'endroit où l'urine est mise "en attente". *La vessie représente les attentes que j'entretiens.* Les principaux problèmes reliés à la vessie sont l'incontinence ou les infections urinaires et, de façon plus grave, la tuberculose urinaire.

Énurésie ou incontinence urinaire

Ce sont des mictions involontaires qui peuvent survenir le jour ou la nuit.

Énurésie nocturne ou mouiller son lit

Elle est fréquente chez les enfants qui ont peur de l'un des parents (souvent le père), soit que le parent soit autoritaire ou qu'il parle fort. Il se peut aussi que l'enfant ait peur de déplaire à ce dernier et qu'il se retienne trop. Cette trop forte tension se relâche la nuit. Pour aider l'enfant, on peut l'inciter gentiment à verbaliser ce qu'il ressent; l'aider à voir l'amour de ce parent pour lui. En relâchant ses tensions, l'énurésie disparaîtra. Il se peut aussi que ce soit un besoin d'espace. (Voir "Louis-Philippe" au chapitre VIII)..

Énurésie de jour

Reliée à de profondes déceptions face à des attentes, parfois au découragement, elle signifie qu'on n'a plus la force de se retenir, donc on se laisse aller. Fréquente dans les cas d'épilepsie, d'hystérie, de sénilité.

Une dame me consulte pour un problème de reins, de plus, elle souffre d'incontinence urinaire. Je lui demande depuis quand elle a ces problèmes et si elle a vécu une profonde déception. Elle me répond que c'est l'histoire de sa vie. Son mari a tout investi dans une entreprise à laquelle elle ne croyait pas vraiment. Ne voulant pas le décourager, elle accepte qu'il donne leur maison en garantie. Il fait faillite et perd même leur maison. C'est lorsqu'elle comprend qu'elle ne s'est jamais fait confiance, qu'elle laisse toujours les autres décider pour elle qu'elle se retrouve devant de profondes déceptions. Elle le comprit, accepta la leçon, puis se libéra graduellement de son problème.

Anurie

C'est une suppression de la sécrétion urinaire, temporaire ou totale. Si elle est totale, elle entraîne la mort, c'est ce que traduit l'expression "les reins ont bloqué". Elle est souvent reliée au fait que la personne s'accroche à ses croyances ou à ses possessions, elle peut ne pas vouloir se départir de ses vieilles idées, rancunes ou haines.

Cystite (ou infection urinaire)

C'est l'inflammation de la paroi de la vessie le plus souvent causé par un agent pathogène (microbe). Elle est, dans de nombreux cas, le signe d'une colère suite à des déceptions ou frustrations par rapport à des attentes que j'entretiens.

Tuberculose urinaire (Voir le chapitre X).

URETÈRE OU URÈTRE

Ce sont les conduits d'élimination de l'urine. Un problème à ce niveau est associé à un problème de rein et de vessie dû à de la déception ou de la frustration, reliées au refus de passer d'une situation à une autre. *Ils représentent ma capacité de me libérer de ce qui n'est plus bénéfique pour moi (attentes, principes, préjugés).*

Urétrite

Inflammation de la voie de passage de l'urine. Ce malaise est très souvent relié à de la colère ou de l'amertume lors du passage d'une situation à une autre parce que je refuse de me libérer de croyances, principes ou préjugés.

Germaine et une urétrite

Germaine développe une urétrite lors de sa séparation. D'après ses principes, seule la mort peut séparer ce qui a été uni par le mariage. Voilà que son conjoint la quitte sous prétexte qu'il se sent étouffer dans leur relation. Cela bouleverse les attentes et les principes de Germaine. Elle vit à la fois une grande colère et une profonde amertume qui se manifeste par une urétrite.

SYSTÈME GLANDULAIRE
GLANDES À SÉCRÉTION INTERNE

Les glandes endocrines ou à sécrétion interne ont pour fonction de produire des substances appelées hormones; celles-ci sont déversées directement dans le sang, contrairement aux glandes exocrines dont les produits sont déversés au dehors.

Certaines glandes, comme le pancréas, les testicules et les ovaires, possèdent une double fonction: endo- et exocrine. On les appelle glandes mixtes. Les glandes endocrines jouent un rôle important dans la croissance, le métabolisme, le fonctionnement de l'appareil reproducteur et la régulation de l'équilibre biochimique qui sont les conditions indispensables à la santé de l'organisme humain.

Les principales glandes à sécrétion interne sont: la pinéale, la pituitaire (ou hypophyse), la thyroïde et parathyroïdes (sous réserve), le thymus (considéré parfois comme organe, parfois comme glande), le pancréas, les glandes sexuelles (ovaires, testicules) et les surrénales.

Ce qui est intéressant à observer, c'est que chacune de ces glandes correspond à un **centre d'énergie** ou chakra de notre corps. Aussi pour bien comprendre le fonctionnement de ces glandes, il faut parler des centres d'énergie du corps. *Les glandes représentent l'équilibre.* Une carence ou un excès hormonal reflète le déséquilibre dans l'utilisation de mon énergie (exemple: manque de joie, excès d'activités ou d'émotions).

LES SEPT CENTRES D'ÉNERGIE DU CORPS OU CHAKRAS

Comme il existe dans le corps tout un réseau pour faire circuler le sang, il existe également tout un réseau pour diffuser l'énergie. Lorsque vingt et une lignes d'énergie se croisent à un même endroit, il porte le nom de centre d'énergie, chakra (mot venant du sanskrit) ou encore "centrale".

Il y a deux énergies qui diffusent dans le corps humain: l'énergie cosmique qui descend, provenant de l'énergie solaire ou Yang, l'équivalent du père (le Soleil), et l'énergie tellurique qui monte, provenant de l'énergie terrestre ou Yin, l'équivalent de la mère (la Terre).

Comme nous l'avons vu dans le système reproducteur, c'est la rencontre de ces deux énergies, Yin et Yang, qui est créative. Pourrait-il y avoir de la vie sur terre s'il n'y avait pas de soleil? Nous avons sept centres d'énergie situés le long de la colonne vertébrale, du coccyx au dessus de ma tête. Ces centres d'énergie sont donc alimentés par ces énergies (cosmique et tellurique) et ont pour rôle la distribution de cette énergie à tout l'organisme, par un réseau de lignes d'énergie appelées aussi méridiens. Chaque centre est relié à une ou des glandes, comme nous le verrons.

Le premier centre d'énergie, appelé centre coccygien

Il est situé au niveau du coccyx. Il est relié à la survie et concerne mes besoins de base (c'est-à-dire le besoin de me nourrir, de me loger, de me sentir en sécurité). Les glandes qui y sont reliées sont les **surrénales** (petites glandes situées au-dessus des reins).

LES CENTRES D'ÉNERGIE (CHAKRAS)

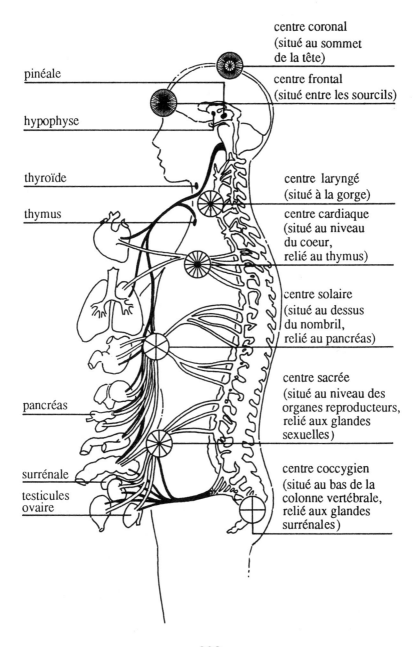

centre coronal
(situé au sommet
de la tête)

pinéale

centre frontal
(situé entre les sourcils)

hypophyse

thyroïde

centre laryngé
(situé à la gorge)

thymus

centre cardiaque
(situé au niveau
du coeur,
relié au thymus)

centre solaire
(situé au dessus
du nombril,
relié au pancréas)

centre sacrée
(situé au niveau des
organes reproducteurs,
relié aux glandes
sexuelles)

pancréas

surrénale

centre coccygien
(situé au bas de la
colonne vertébrale,
relié aux glandes
surrénales)

testicules
ovaire

Les surrénales sécrètent des hormones comme :

L'aldostérone

Responsable du contrôle de l'équilibre électrolitique.

La cortisone

Elle joue un rôle important dans le métabolisme des sucres, entraînant ainsi une augmentation de la concentration du glucose sanguin en plus d'agir sur le processus inflammatoire qu'elle diminue ou supprime.

Les hormones sexuelles

Les androgènes (hormones mâles) et les oestrogènes (hormones femelles) sont en faible quantité compte tenu des glandes sexuelles. Aussi, je ne m'y attarderai pas.

L'adrénaline

Appelée aussi l'hormone du stress, l'adrénaline est libérée pour répondre à des situations d'urgence (peur, affrontement, etc.). Ces réactions sont directement reliées à l'hypothalamus (ordinateur central) qui s'exécute en augmentant le rythme cardiaque, le taux de glucose sanguin et les artérioles des viscères se contractent. Bref, l'organisme est prêt à fournir un effort considérable. En état de stress, une personne peut accomplir des prouesses physiques dont elle serait incapable en temps normal. Exemple: une mère qui peut soulever une voiture pour en dégager son enfant.

Donc, lorsque nous vivons de grandes peurs face à notre survie ou la survie de nos proches, ou que nous vivons beaucoup de stress ou de profondes douleurs physiques ou morales, nous utilisons beaucoup de cette énergie et nous affectons par conséquent les **parties solides** de notre corps comme nos os, nos muscles, nos tendons, nos muqueuses, etc. en plus d'affecter le prochain centre d'énergie auquel il est relié. Revoir au chapitre X la "dystrophie musculaire" et la "sclérose en plaques" qui atteignent les os, les muscles, les tendons et les muqueuses, etc.

La plupart de ces personnes vivent de profondes douleurs, craignent souvent pour leur survie ou la survie d'une ou d'autres personnes.

On peut observer que le **rachitisme** a souvent pour cause un manque d'amour, de sentiment de protection où l'enfant craint pour sa survie. Très fréquent dans les pays sous-développés.

Ou revoir la "région coccygienne" dans la "colonne vertébrale" au chapitre XIII où je raconte ma blessure au coccyx. Les personnes qui ont souvent mal dans cette région du bas du dos s'inquiètent souvent pour des problèmes financiers qui représentent leurs besoins de base.

Le deuxième centre: le centre sacré

Localisé dans la région du sacrum, au niveau de la vertèbre sacrée, ce second centre est relié à la création, à la reproduction. C'est le centre qui possède la plus forte énergie du corps. Ce centre est relié aux glandes sexuelles, les ovaires chez la femme et les testicules chez l'homme. Les ovaires produisent **la folliculine**, responsable des caractères sexuels secondaires féminins (voix féminine, seins, bassin large, etc.) et **la progestérone**, hormone de gestation. Les testicules produisent **la testostérone**, qui est responsable des caractères sexuels secondaires mâles (voix masculine, pénis, musculature, poils, barbe, etc.).

Comme on le voit, ces hormones influencent la voix. Ceci explique le fait que le centre sacré est relié au centre laryngé situé au niveau du larynx. Il est fréquent d'observer que les personnes ayant des problèmes au niveau de leurs parties génitales ont souvent aussi des problèmes avec leur voix, leurs voies respiratoires et leur thyroïde. Et à l'inverse, les personnes affectées par un problème à la glande thyroïde ont aussi soit des difficultés menstruelles, fibromes ou kystes aux ovaires, etc. Un homme avait des calculs à la prostate et avait une voix pratiquement éteinte.

Lorsque l'on entretient des rancunes, des haines, des culpabilités, de la jalousie, des passions, de l'orgueil, de la possession ou qu'on abuse de notre sexualité (ou s'il y a un manque), on utilisera alors beaucoup de l'énergie de ce centre et ce seront les parties liquides de notre corps qui en seront affectées, comme le sang et la lymphe, ainsi que les voies respiratoires et la thyroïde. (Voir "Jean-Paul a un cancer du larynx" au chapitre VI).

Le troisième centre: le centre solaire

Le troisième centre est situé au niveau du plexus solaire, soit au-dessus du nombril. C'est le centre des émotions et des désirs. La glande qui lui est reliée est le pancréas.

Le pancréas

Il secrète l'insuline (sécrétion interne) ou hormone anti-diabétique et le suc pancréatique (sécrétion externe) destiné à favoriser la digestion. Lorsqu'une personne vit beaucoup d'émotions, elle peut avoir de la difficulté à digérer. Si ces émotions se prolongent et que la personne vit dans une tristesse prolongée parce qu'elle croit qu'elle ne peut changer la situation qui l'affecte, cela pourra se manifester par de l'**hypoglycémie** et sous une forme plus grave, par le **diabète**. On associe souvent la maladie du sucre (hypoglycémie ou diabète) à un manque de joie. Ne disons-nous pas qu'une personne triste vit de l'amertume (sa vie est amère) il y manque de sucre (joie) et, en anglais, on utilise le terme (sweet) pour joyeux, agréable (sweet heart, sweet life, etc.). Cette tristesse peut provenir d'une dévalorisation de sa personne. On ne se sent pas à la hauteur. Elle peut également provenir de peurs profondes, culpabilités ou encore d'une situation qu'on n'accepte pas, qu'on voit sans issue.. (Voir "Luc et son diabète" au chapitre V).

Ce qui est également pour nous une cause de bien des émotions, ce sont les désirs avec attentes que l'on entretient. On veut que les autres agissent de la façon qui nous convient, qu'ils nous disent les choses qui nous plaisent, qu'ils pensent à des choses sans que nous ayons à leur dire, etc. Toutes ces attentes nous font vivre bien des frustrations, des déceptions, de la colère, etc.

Donc, lorsqu'on vit beaucoup d'émotions, on utilise beaucoup l'énergie de ce centre et on affecte notre système digestif, circulatoire et cardiaque, en plus de notre système nerveux, car ces trois centres sont interreliés. Revoir: maux de tête, migraines et psychose, névrose et dépression (chapitre XIII).

Le quatrième centre: le centre cardiaque

Situé au niveau du coeur, il est le centre de l'amour. La glande qui lui est reliée est le **thymus**, responsable au niveau de la défense. Le thymus est actif chez l'enfant. Vers l'âge de 14 ou 15 ans, c'est la chaîne des ganglions lymphatiques qui prend la relève. Le centre cardiaque est relié au système circulatoire, c'est la vie qui circule, l'immunité est dans le sang. Il est intéressant de revoir le système circulatoire pour observer que **le manque d'amour entraîne une baisse de l'immunité, l'anémie, la leucémie, la basse pression.**

Une récente recherche en santé physique et bien-être psychologique a démontré sans équivoque que les couples heureux étaient en bien meilleure santé que les gens séparés ou divorcés. On peut aussi constater que le SIDA (syndrome immuno déficitaire acquis) n'atteint pas les gens heureux de vivre. (Voir le chapitre X). L'amour, la joie de vivre auraient donc un lien direct avec notre immunité. Il est donc primordial de développer l'amour de soi d'abord et l'amour des autres. Jésus disait: "Tu aimeras ton prochain comme toi-même". On nous a appris que s'aimer c'était égoïste, qu'aimer c'était s'oublier pour les autres. En s'oubliant pour les autres, on s'attend à ce que les autres s'oublient pour nous. Cela fait naître des attentes, des déceptions, de la frustration, de la colère, de la haine, de la rancune. Peut-être nous a-t-on enseigné l'amour à l'envers?

Si on recommençait et que cette fois, on commençait par soi. Si j'ai envie de fleurs pour mon anniversaire et si je m'en offre, je suis alors certaine d'en recevoir. Mais si j'attends qu'on me les offre (surtout si je ne le dis pas), il se peut que je ne les reçoive pas et que je vive de la déception et du chagrin. Et si, m'étant offert des fleurs, j'en reçois davantage? J'ai deux bouquets de fleurs... la vie est belle!

Il en va de même pour l'amour. L'attendre est la meilleure façon de vivre une vie de frustrations, entraînant de multiples manifestations au plan de ma santé. Ce sera le prix que j'aurai à payer pour apprendre à m'aimer. Lorsque l'énergie du centre cardiaque circule bien (encore faut-il qu'elle ne soit pas siphonnée par mes centres solaire, sacré et coccygien), elle ouvre la porte vers les centres supérieurs de l'Être humain où la personne pourra utiliser cette énergie en créativité, intuition, clairvoyance, etc.

Le cinquième centre: le centre laryngé

Centre de la créativité et de la vérité, il est situé au niveau du larynx et est relié à la glande thyroïde. La thyroïde joue un rôle important dans la croissance et le métabolisme en général, elle produit l'hormone nommée la thyroxine. Des problèmes à la thyroïde peuvent être reliés à un problème du centre sacré (problème d'abus sexuel, haine, rancune, etc.). (Voir "Le système respiratoire" où l'on traite des problèmes de la thyroïde (hypo - hyperthyroïdie, goitre) au chapitre XV).

227

Il se peut aussi que si je mens (je peux me mentir à moi-même autant qu'aux autres) ou si je n'utilise pas suffisamment ma créativité, que j'aie des problèmes avec ma voix ou mes voies respiratoires. Plus mes centres sont en harmonie, plus j'ai de l'énergie pour créer. Et surtout, ce qui est important, je deviens **créateur** de ma vie.

Le sixième centre: le centre frontal

Centre de la pensée, de l'intuition et de la clairvoyance, il est situé entre mes deux yeux, endroit aussi appelé le troisième oeil. La glande qui lui est reliée est l'hypophyse, surnommée glande pituitaire ou glande maîtresse, car elle régit toutes les autres glandes.

L'hypophyse fabrique plusieurs hormones dont: **l'hormone antidiurétique** qui favorise la conservation de l'eau dans l'organisme; **la thyriotrope** qui dirige le fonctionnement de la thyroïde; **les gonadotropes** qui produisent la maturation du follicule ovarien et le fonctionnement testiculaire et **l'ACTH** qui règle le fonctionnement du cortex surrénalien. De plus, comme elle est rattachée au cerveau, elle joue un rôle important dans le système nerveux.

On peut saisir l'importance de cette glande. L'hypophyse est également la glande qui capte l'oxygène et la force vitale (prana) contenus dans l'air que nous respirons et qui les redistribue à toutes les cellules du corps. Le centre frontal est en relation directe avec les centres cardiaque et solaire. C'est pourquoi plus nous apaisons ce centre au moyen de respirations profondes (mais sans efforts) ou de méditation, plus nous apaisons notre centre cardiaque et solaire, et à l'inverse, plus nous maîtrisons nos émotions, plus actif peut être ce centre.

On se rappelle que vivre beaucoup d'émotions affecte les centres cardiaque et frontal, et par le fait même, le coeur et le système nerveux. Les problèmes reliés à l'hypophyse sont souvent reliés à un déséquilibre dans les pensées. Il faut être très prudent lorsqu'on utilise des respirations rapides et saccadées, style "rebirth", puisqu'il y a danger de déséquilibrer cette glande, car c'est elle qui capte l'oxygène. Si on essaie de respirer trop profondément, on peut se sentir étourdi. Cette technique (le rebirth) est surtout utilisée pour activer la mémoire émotionnelle. Il est bon de se rappeler qu'on ne fait pas pousser les fleurs en tirant dessus. Je ne rejette pas cette approche, mais j'invite les intéressés à la prudence. Plus ce centre est actif, plus je suis à l'écoute de mon intuition, et plus j'ai de pouvoir sur les différents événements de ma vie.

Le septième centre (septième ciel): le centre coronal

Situé au dessus de la tête et relié à la glande pinéale, ce centre correspond à la région de la tête que l'on appelle la fontanelle chez le bébé. La glande pinéale est peu connue en médecine hallopatique (classique). Elle me relie à mon corps spirituel. Le halo que l'on retrouve autour de la tête des saints représente l'énergie de ce centre. La méditation et le service aux autres développent ce centre d'énergie.

LES GLANDES EXOCRINES

Les glandes exocrines sont des glandes dont le produit est déversé au dehors. Parmi les principales, nous retrouvons: les glandes salivaires, sébacées, sudoripares, lacrymales et mammaires.

Les glandes salivaires

Elles sont au nombre de six: les deux parotides, les deux sous-maxillaires et les deux sublinguales. Leur fonction est de sécréter la salive afin de maintenir l'humidité de la bouche et permettre le glissement des aliments et de les dissoudre, ce qui permet de les goûter. La salive actionne aussi la digestion des aliments farineux et sucrés. C'est également dans la bouche que le système nerveux va chercher les particules plus subtiles dont il a besoin (nous n'avons qu'à penser à la petite pilule (nitro) que les cardiaques utilisent en cas d'attaque; ils la place sous la langue). Les gens dépressifs ont tendance à avaler tout rond, aussi privent-ils leur système nerveux, ce qui accentue leur état. La personne dépressive aurait avantage à manger plus lentement, à goûter davantage ses aliments. Goûter aux aliments, c'est goûter à la vie. C'est peut-être la perte du goût de vivre qui fait qu'une personne n'a plus envie de goûter à ses aliments.

Dans les problèmes reliés aux glandes salivaires, la plus

connue est sans conteste la **parotidite aiguë**, mieux connue sous le nom **d'oreillons**. Cette infection des parotides est fréquente, surtout chez les enfants. Les enfants ont tendance à cracher, ce que font rarement les adultes, à moins qu'on ait envie de cracher au visage d'une personne. Si je pense à l'âge où ma fille a eu les oreillons, cela correspond à l'âge où mon fils, pour se défendre, lui crachait dessus. Les oreillons pourraient être reliés à de la colère dans le fait de se faire cracher dessus ou encore, dans le désir de cracher au visage de quelqu'un. D'où l'expression "cracher son venin".

Hypersalivation

Se rencontre surtout chez les jeunes enfants qui suractivent avec la tétine (suce). Ici encore, si je me reporte à ce qu'ont vécu mes enfants, je remarque que Karina, qui n'a jamais eu de tétine, n'a jamais eu besoin de bavoir, alors que Mikhaël, qui dormait avec parfois deux tétines en même temps, a hypersalivé jusqu'à l'âge de trois ans. Vaudrait-il mieux retirer la tétine? Je crois qu'il vaudrait mieux donner davantage d'attention à l'enfant, car c'est son manque d'affection qu'il va chercher dans sa tétine, à moins que ce ne soit avec son pouce. Cela lui rappelle le sein maternel ou le biberon dans les bras de maman. Après la naissance de mon fils, comme j'avais subi une grave opération (césarienne et ablation d'une importante masse d'adhérences), j'ai souvent remplacé le sein par un biberon que je lui donnais dans son lit. À l'époque, je n'en connaissais pas les répercussions sur mon enfant. C'est pourquoi je suggère à la maman épuisée de s'allonger dans son lit avec le bébé, même si elle lui donne un biberon, ainsi aura-t-il sa présence.

Hyposalivation

C'est un manque de salive qui se retrouve en général chez des personnes qui respirent mal par le nez et qui, de ce fait, ont tendance à respirer par la bouche. La peur peut aussi assécher la bouche.

Les glandes sébacées

Les glandes sébacées massives, souvent associées aux poils, déversent une sécrétion huileuse soit en surface de la peau, soit dans les follicules pileux. (Voir "La peau et ses phanères", la peau sèche, la peau grasse, le cuir chevelu sec ou gras au chapitre XIV).

Les glandes sudoripares

Les glandes sudoripares sécrètent la sueur. Le but principal de la sudation est de régler la quantité de chaleur perdue par la surface du corps et de maintenir l'organisme à une température assez constante. Un excès de transpiration, lors d'une température tempérée ou froide, est habituellement relié au stress, à la nervosité ou la peur. Si la **transpiration est située aux mains,** elle concerne le travail ou ce que l'on a à accomplir (écrire un examen par exemple). J'ai observé que lorsque je me présentais pour un emploi, l'intérieur de mes mains devenait moite. Si la **transpiration est surtout aux pieds**, il peut y avoir de la nervosité, de l'inquiétude face à avancer.

Les glandes lacrymales

Les glandes lacrymales sécrètent un liquide alcalin qu'on appelle les larmes. Elles ont pour fonction de protéger la cornée et d'empêcher le développement de la flore microbienne au niveau des couches externes de l'oeil. Les larmes aident également à éliminer des toxines. Notre éducation nous a convaincu de retenir nos émotions, on nous disait: "Ne pleure pas, ça va s'arranger", ou "Regarde ce dont tu as l'air lorsque tu pleures", ou encore "Un homme, ça ne pleure pas". Beaucoup de personnes se sentent très mal de pleurer. Combien vont s'excuser en consultation alors que le but même est de les aider à se libérer de leurs émotions retenues. Lorsque l'on retient ses larmes, souvent les glandes lacrymales enflent, ce qui crée les paupières enflées. (Voir "Paupières" au chapitre XIII). Au contraire, il est bon de pleurer, car trop de larmes alourdissent le coeur. Pleurer allège le coeur. Certaines personnes se sont tellement retenues de pleurer qu'elles ont parfois l'impression de ne plus avoir de larmes. Elles ont, dans leur refoulement, obstrué les canaux excréteurs des larmes. C'était le cas d'un homme que j'ai connu. Après une très forte confrontation, il s'est mis à pleurer. Il me dit alors: "Cela a ça de bon, ça m'a fait pleurer. Voilà des années que je n'avais pas pleuré".

Les glandes mammaires ou seins

Les seins sont des glandes à sécrétion double: la sécrétion externe produit le colostrum et le lait, la sécrétion interne fournit des éléments indispensables au fonctionnement des autres glandes. *Les seins représentent la maternité.* Les gros seins sont souvent le signe d'une personne très maternelle qui est souvent la mère de tout le monde. Les petits seins sont au contraire souvent signe d'une personne qui ne se sent pas très maternelle. Elle a moins tendance à couver les autres. Les seins tombants sont souvent reliés à ce que la personne ne se sent pas à la hauteur de son rôle de mère. Elle peut croire qu'elle est trop molle avec ses enfants, qu'elle manque de fermeté. Les problèmes concernent en général l'aspect maternel d'une personne.

Mastite

C'est un engorgement de sang dans les seins qui peut être douloureux, surtout au moment des règles. Elle peut être reliée à un comportement trop maternel envers ses enfants ou son conjoint. Elle peut également être reliée au fait d'être trop maternée par son conjoint.

Kyste au sein, appelé aussi adénome au sein

L'adénome est une tumeur bénigne, indolore, ronde ou ovale, facile à déceler à la palpation, très souvent reliée à une culpabilité en rapport avec sa maternité. Cette culpabilité peut provenir d'un choc émotionnel, la perte d'un enfant, par exemple.

Tumeur maligne ou cancer du sein

Elle relève souvent d'une profonde culpabilité reliée à sa maternité (à l'un de ses enfants). L'une de mes participantes, qui avait développé un cancer du sein, m'avoua ne s'être jamais pardonné d'avoir confié son enfant à l'adoption. Une autre, qui avait aussi dû abandonner son enfant, avait une tumeur qui lui avait poussé entre les deux seins. Le jour où elle retrouva sa fille, soit 32 ans plus tard, la tumeur disparut. Dans les cas de cancer du sein, il y a presque toujours une grande culpabilité reliée à un enfant. (Voir au chapitre X, "Marguerite et son cancer du sein" et "Martine" qui avait peur de développer un cancer du sein, au chapitre V). Les hommes peuvent également avoir des problèmes avec leurs seins, ils peuvent même avoir le cancer. Certains hommes sont parfois plus maternels que des femmes.

QUATRIÈME PARTIE

GUÉRISON, CONSCIENCE ET BIEN-ÊTRE

"Il est aussi naturel d'être en bonne santé que d'être né."

Herbert M. Shelton.

"Si tu es malade, recherche d'abord ce que tu as fait pour le devenir."

Hippocrate

Au cours des parties précédentes de ce volume, nous avons été en mesure de constater que le mal-être, la maladie ou les malaises n'apparaissent pas par hasard. À présent, nous sommes en mesure d'accepter qu'ils sont la manifestation d'un déséquilibre engendré soit par un **manque,** soit par un **excès** au niveau:

• **Du corps physique: manque** d'oxygène, d'éléments nutritifs, d'exercices, d'activités (travail, loisirs, repos);

 excès d'agents nuisibles à la santé dont les drogues, la cigarette, l'alcool, les préservatifs chimiques, les colorants, les polluants de l'air et de l'eau, le bruit.

• **Des attitudes mentales: manque** de fermeté, de confiance, d'assurance dans ses décisions et ses choix;

 excès de pensées destructrices: peur, inquiétude, critique, sentiment d'infériorité, sentiment d'impuissance, entêtement, rancune, résistance, rivalité, révolte, culpabilité, apitoiement, découragement.

• **Des relations affectives: pauvreté** des rapports psychosociaux, **manque** d'espace vital, d'estime de soi, d'appréciation de son entourage, **carence** en joies, en amour et en humour;

 excès d'attentes, d'impatience, d'intolérance, de frustrations, de dépendances affectives, de dépréciation, de jugements, etc.

233

- **De l'évolution spirituelle: manque** de conscience, de confiance, de paix, de calme, de sérénité, de courage; **excès** de préjugés, de tabous, de principes, d'inertie, etc.

Pour tendre vers la guérison, il est essentiel de remonter à la cause qui a engendré cet état de déséquilibre manifesté par un mal-être: angoisses, maux, maladies, accidents, pertes, faillites, etc. Mais cela ne signifie pas qu'il faille ignorer la manifestation ou le résultat du déséquilibre.

Pour mieux faire comprendre la réaction de la plupart des personnes lorsque survient un problème de santé et pour indiquer la meilleure attitude à adopter, je vais me servir d'une analogie très simple.

Il y a de l'eau qui suinte du plafond dans mon salon. En peu de temps, la peinture, le plâtre et le tapis subissent les effets de cette fuite. Que puis-je faire? Je peux décider d'attendre; le problème persistera et s'amplifiera. Je peux choisir de résoudre ce problème en coupant l'alimentation en eau de la maison. Quelques jours plus tard, réalisant que tout s'est asséché, j'entreprends le nettoyage croyant le problème réglé. Je remets alors l'alimentation en eau mais cette fois ce sont les joints de plâtre qui cèdent et l'inondation survient. Vais-je poursuivre? À ce rythme, je risque d'atteindre le découragement plutôt qu'un mieux-être. Après avoir réagi à une cause préalable (c'est humide, je ferme l'eau), je dois m'appliquer à rechercher quelle est la cause réelle responsable de la fuite sans négliger les effets qui sont les dommages apportés à ma demeure.

Selon l'importance du problème, il se peut que j'aie besoin d'aide, à la fois pour trouver une solution définitive et pour réparer les dommages subis. C'est ainsi que considérant mes connaissances ou conscient de mes capacités, je ferai appel à un plombier pour la fuite et à d'autres experts pour les conséquences: plâtriers, nettoyeurs professionnels, peintres...

Très souvent, lorsqu'un problème affecte ma demeure (mon corps), je suis enclin et empressé d'en arrêter la manifestation plutôt que de chercher à en comprendre la cause. Pour un mal de tête, j'avale un analgésique; pour un problème de rétention d'eau, un diurétique; pour des douleurs, un calmant; pour l'insomnie, des somnifères; pour la constipation, un laxatif; pour un état dépressif, un anti-dépresseur; ainsi de suite. Si la cause réelle du mal-être n'est pas solutionnée, il est probable que la "fuite" d'énergie vitale refasse surface et avec plus d'acuité lorsque je revivrai la même situation.

Par contre, si je prends conscience de la nécessité d'identifier la vraie cause, il se peut que j'aie quand même besoin d'aide pour réparer ma demeure ou mon corps physique. Si j'accepte la responsabilité de mon ignorance ou de mon manque de prévention, je ferai alors appel au spécialiste de mon choix qui pourra "réparer" mon corps: chirurgien, médecin, chiropraticien, massothérapeute, homéopathe, réflexologue, acupuncteur. Peut-être aurais-je besoin de "matériaux" pour m'aider dans cette tâche: massages, exercices, ablations, greffes, prothèses, médicaments, suppléments, gouttes, herbes...

L'avantage que je retire à comprendre les causes de mes maux physiques est que je deviens plus conscient de mon corps, de ses besoins et de ses signaux de déséquilibre reliés à mes états d'âmes. Il m'est désormais plus facile de "colmater" mes fuites d'énergie ou mes malaises dès leur apparition et de m'éviter ainsi des dommages beaucoup plus sévères que je ne pourrais plus réparer moi-même.

Dans les prochains chapitres, nous verrons comment apprendre à identifier soi-même la cause de nos problèmes de santé et comment trouver la solution adéquate pour y remédier.

CHAPITRE XX

ÉTABLIR SA PROPRE ANALYSE

Dès que l'on prend conscience de la cause d'un mal-être, la moitié du processus de guérison est accomplie. **L'autre moitié, c'est l'action que j'entreprends pour instaurer à nouveau l'harmonie dont dépend ma santé.**

Je suggère au lecteur de faire par écrit l'auto-analyse de la cause qui a engendré la manifestation de déséquilibre. Il est plus facile de réfléchir sur quelque chose de concret. Le fait de l'écrire aide beaucoup à clarifier les choses (surtout pour les visuels), sans compter que le subconscient accepte à 90%, comme étant réalisée, toute affirmation écrite.

Voici, en résumé, les neufs étapes à suivre afin d'établir sa propre analyse:

1. Que représente l'organe ou la partie de mon corps qui est affectée?

2. Qu'est-ce que je ressens là où j'ai mon malaise?

3. À quel moment est-ce que mon mal est apparu?

4. Mon malaise survient-il par intermittence?

5. Dans quelles circonstances devient-il plus aigu?

6. Quels sont les avantages que j'en retire?

7. À quelle attitude mentale correspond mon malaise?

8. Qu'ai-je compris maintenant?

9. Suis-je prêt à l'action?

1. Que représente la partie de mon corps qui est affectée?

Écrire le nom de la partie de mon corps et ce qu'elle représente, c'est-à-dire ce à quoi elle sert habituellement. Pour ceci, consulter la symbolique du corps humain.

Par exemple, le **genou** représente la capacité de me plier, de m'incliner, ma flexibilité. Le **cou** représente ma capacité de regarder plusieurs côtés d'une situation, d'envisager plusieurs directions à prendre.

Il faut tenir compte de la symétrie corporelle, de quel côté de mon corps est-ce que l'organe, le membre est-il situé? Il peut s'agir du genou **droit**, du côté **gauche** de mon dos. S'il s'agit de mes doigts ou de mes orteils, il est important de vérifier la signification du doigt ou de l'orteil en particulier. Ainsi, le **pouce** n'a pas la même signification que le **majeur**.

Relire, si on le désire, le chapitre III où il est question du cerveau humain et des différences entre les hémisphères droit et gauche.

Le côté droit de mon corps est associé à mon aspect logique, rationnel et à l'interprétation intellectuelle des événements. Ici, le malaise peut provenir du fait que je porte un jugement: j'analyse certains faits, j'en occulte d'autres, je pense que je devrais ou que je n'aurais pas dû..., je crois que l'autre devrait ou n'aurait pas dû..., que cette situation devrait ou ne devrait pas être..., etc.

Le côté gauche de mon corps est associé à mon aspect non-rationnel, à l'interprétation sensible des événements. Il est davantage à coloration émotionnelle. Ici, le malaise peut provenir de ce que je ressens, de ce qui me touche de près (j'entends ou je vois quelque chose qui me peine ou me fait peur). Donc, le côté gauche concerne ma réaction émotive face aux situations, à mes sensations (je me sens rejeté, manipulé, trahi, etc.).

2. Qu'est-ce que je ressens là où j'ai mon malaise?

La sensation de déséquilibre intérieur que j'éprouve me renseigne. Qu'est-ce que je ressens là où j'ai mal?

Il faut écrire la sensation qui s'apparente le plus au malaise que je vis. À titre de rappel, résumons quelques malaises ressentis et leurs sensations:

Brûlure, brûlement, fièvre	Souvent reliés à de la colère ou à de la contrariété contre soi-même, une personne ou un événement.
Crampe	Souvent reliée à de la tension dans l'action prise ou à prendre.
Démangeaisons	Souvent reliées à de l'impatience ou de l'insécurité.
Douleur	Souvent une forme d'autopunition. Elle peut être parfois reliée à un besoin d'attention ou à de la peur.

238

Enflure (oedème)	Souvent reliée au fait de se sentir limité ou arrêté dans ce qu'on désire faire.
Engourdissement	Souvent relié à un désir de se rendre moins sensible.
Étouffement, essoufflement	Souvent reliés au fait de se sentir anormalement critiqué, pris à la gorge, en manque d'espace vital.
Étourdissement	Souvent relié à un désir de fuir une personne ou une situation lorsqu'on a l'impression qu'elle évolue trop vite.
Fatigue	Si elle ne provient pas d'un effort supplémentaire ou inhabituel, elle est souvent l'indice d'un manque de motivation.
Hypermobilité (articulation)	Souvent reliée à une trop grande flexibilité qui fait plier trop facilement devant l'autorité.
Insensibilité (dégénérescence, sclérose, nécrose, léthargie)	Souvent reliée à de l'autodestruction latente (voir le chapitre X).
Irritation, inflammation	Souvent reliées à de la colère qui bout à l'intérieur de soi.
Raideur (articulation)	Souvent reliée à un manque de flexibilité, à de l'entêtement, de la résistance ou de la rigidité surtout face à une figure d'autorité.
Saignements	Souvent reliés à une perte de joie.
Tumeur, kyste	Souvent reliés à des chocs émotionnels.

3. À quel moment est-ce que mon mal est apparu?

Il faut tenter de se rappeler quand le malaise fut ressenti pour la première fois et la situation qui était vécue à ce moment-là (séparation, difficultés financières, choix à faire). S'interroger sur les émotions vives qui ont précédé l'apparition du malaise.

4. Mon malaise survient-il par intermittence?

Il faut voir à quels moments le malaise revient et comparer avec les situations précédentes. Qu'est-ce que ces situations ont en commun? La peur d'avancer? Le sentiment d'emprise?

5. Dans quelles circonstances devient-il plus aigu?

Cela peut me renseigner de façon plus précise.

- Si j'ai des étourdissements à mon travail mais non lorsque je suis chez moi, il est possible qu'il y ait une situation au travail que je désire fuir.

- Si j'ai des démangeaisons aux pieds lorsque je suis chez moi, il est possible que je vive de l'impatience parce que les choses ne vont pas assez vite pour moi, que j'ai l'impression de piétiner au lieu d'avancer.

- Si je me mets à étouffer en parlant d'une situation ou d'une personne, il se peut qu'il y ait une émotion que je tente de retenir mais qui m'étouffe.

À quel moment de la journée le malaise est-il le plus dérangeant, le plus souffrant?

- Si c'est le **matin**: le matin correspond à mon arrivée dans cette vie. La cause peut être reliée à ma naissance.

- Si c'est **durant le jour**: cela correspond à ma vie actuelle.

- Si c'est la **nuit**: la nuit correspond à ma non-conscience, parfois à une période vécue avant la vie actuelle. Par exemple, une personne qui dort beaucoup peut inconsciemment désirer fuir ce qu'elle vit. Les malaises qui surviennent la nuit sont généralement un trop plein d'émotions qui s'échappent. L'insomnie, par exemple, est souvent reliée à de la culpabilité. Comme on ne peut la fuir par des occupations, c'est souvent à ce moment qu'elle refait surface. Chez les enfants, les cauchemars peuvent être reliés à des émotions non réglées d'une vie antérieure.

6. Quels sont les avantages que j'en retire?

Qu'est-ce que ce malaise ou cette maladie me permet de faire ou d'éviter? Il me permet peut-être de suivre des cours, de prendre un repos nécessaire, ce que je ne pourrais me permettre normalement. Il peut être l'occasion d'éviter une situation difficile, de reporter une échéance ou de ne pas faire face à une demande ou à une attente à laquelle je me sens incapable de répondre.

7. À quelle attitude mentale correspond mon malaise?

Pour répondre à cette question, il serait bon de se référer au chapitre sur "Les maladies par création mentale". Mon malaise peut correspondre à une fuite, une emprise, une contrariété, une peur, une culpabilité, un besoin d'attention, d'excuse, etc.

8. Qu'ai-je compris maintenant?

À ce stade, je devrais avoir une idée assez précise de la cause du problème. Mon enthousiasme grandit une fois que je crois avoir compris quelle est la source de mon mal, la cause qui produit cet effet ou cette manifestation. Je peux remercier ma supraconscience, partie divine ou Maître intérieur, de m'avoir guidé vers la compréhension de ce déséquilibre. Je peux aussi l'informer de mon intention de corriger la cause de celui-ci.

9. Suis-je prêt à l'action?

Si oui, j'accepte la situation et amorce l'action qui me conduit à la guérison.

"On ne peut changer ce que l'on n'accepte pas."

Un alcoolique ne peut entreprendre une action vers la libération de sa dépendance tant qu'il n'a pas admis qu'il a un problème et qu'il n'a pas accepté la réalité de sa dépendance face à l'alcool. Si je n'acceptais pas le problème d'obésité ou de cellulite de ma mère, il se peut que je le développe moi-même. Ne l'ayant pas accepté chez ma mère, il me sera difficile de l'accepter chez moi.

"On devient souvent comme la personne qu'on n'a pas acceptée."

Pour amorcer mon rétablissement, il est essentiel que je transforme le processus de création destructive que j'entretiens en un nouveau jeu d'habitudes, de pensées constructives et évolutives.

Voyons quelques exemples d'impressions globales sur soi-même:

Si je me critique...   Je ferai en sorte de m'encourager en acceptant que j'agis du mieux que je le peux, en toutes circonstances.

241

Si je me dévalorise...	Je ferai en sorte de me féliciter régulièrement dans toutes mes tâches, dans tous mes accomplissements, petits et grands.
Si j'ai peur...	J'oserai prendre des risques, explorer la nouveauté, m'habiller plus audacieusement, visiter des endroits inconnus, etc. Je ferai les premiers pas afin de développer ma confiance en mes capacités.
Si je me sens coupable...	Je ferai en sorte d'identifier cette culpabilité afin de savoir si j'ai vraiment agi dans le but de blesser ou de faire souffrir une autre personne. Je dédramatiserai ce que j'avais dramatisé et je me pardonnerai de m'être puni et fait souffrir.

Je ferai de même dans mes rapports avec mon entourage.

Si je critique les autres...	J'accepterai que chaque personne voit les choses à sa manière et que la beauté et la sagesse du monde viennent de la diversité des points de vue.
Si je juge les autres...	Je ferai en sorte de me placer dans leur perspective. Au lieu d'accuser, je ferai l'effort de comprendre ce qu'ils vivent dans telle ou telle situation.
Si j'envie ou jalouse les autres...	Je ferai en sorte d'apprécier ce que j'ai maintenant. Je mettrai mon énergie et mon application à obtenir ce que je désire personnellement.
Si je m'entête ou me ferme face à ce qu'on me dit	J'accepterai d'ouvrir mon esprit tout en conservant mon discernement face à mes besoins et à mes désirs, sachant que l'apport extérieur m'est très souvent bénéfique pour "aérer" mes idées closes.

Ce processus mental me conduit à laisser couler davantage d'amour en moi-même, dans mon entourage immédiat et me permet de faire croître cet amour pour tout ce qui gravite avec moi dans ce corps céleste qu'est l'Univers.

CHAPITRE XXI

LES CLÉS DE LA SANTÉ ET DU BIEN-ÊTRE

"La santé a sa source en dehors de la sphère de la médecine. Elle dépend de l'observation de lois immuables. La maladie est la conséquence de la violation de ces mêmes lois."

Madame E.G. White

Dans ce dernier chapitre, j'offre au lecteur des clés simples mais efficaces pour un mieux être. Je n'ai pas la prétention de croire que cet éventail que je vous présente soit complet car le sujet est très vaste, mais il se veut un résumé des règles à appliquer dans notre quotidien. Mieux respirer, bien s'alimenter, le besoin d'exercice et de repos rejoindrons l'aspect physique et mental de mon être. L'aspect émotif et l'aspect spirituel nous conduirons au coeur de la philosophie orientale qui nous montre la voie de la libération et du bonheur.

MIEUX RESPIRER

L'air que nous respirons contient le combustible que nous utilisons à chaque instant de notre vie pour apporter l'énergie à nos milliards de cellules. De plus, il contient des propriétés chimiques qui nettoient notre corps et renouvellent nos cellules nerveuses et organiques. Malheureusement, la majorité des individus respirent de façon automatique, superficiellement, sans connaître l'importance de la respiration.

Vivant de plus en plus à l'intérieur, nous utilisons à un degré moindre notre fonction respiratoire et il en résulte de la fatigue, un manque de concentration et de mémoire, du stress, de la nervosité et parfois même de l'angoisse ou de la dépression, car l'irrigation sanguine diminue au niveau du cerveau et le sang n'est plus assez chargé d'oxygène pour éliminer les toxines produites par le travail cérébral. Pensons à ce qui se passe dans une classe surchauffée: les étudiants s'endorment. Si on ouvre les fenêtres, les voilà revigorés. On peut également songer aux grandes villes où la pollution impose une réduction de la fonction respiratoire. On sera en mesure d'observer un plus haut taux de stress, de nervosité, de dépression que celui que l'on observerait à la campagne ou à la montagne, car l'air que nous respirons ne contient pas seulement de l'oxygène, mais également de l'énergie de vie, appelée force vitale ou prana chez les Hindous. C'est de cette force de vie que dépend notre santé, notre résistance et notre bien-être.

Les avantages d'une bonne respiration:

• *Elle apaise notre système nerveux* car le prana agit directement sur le plexus solaire (centre des émotions et des désirs), nous apportant une maîtrise de nos émotions comme la peur, la colère, la timidité et le trac.

• *Elle aide à se sentir plus sûr de soi*, ce qui a pour effet d'augmenter la confiance en soi.

• *Elle augmente notre résistance à la maladie.*

• *Elle conserve la vitalité et la jeunesse* plus longtemps, par conséquent, la peau et les tissus vieillissent moins vite.

• *Elle apporte un plus grand calme intérieur*, nous ouvrant les voies de la conscience.

Le candidat à la maîtrise de soi doit être un adepte de la respiration profonde.

Comment réaliser la respiration profonde? Elle se fait en quatre temps. On peut la pratiquer debout, assis ou couché.

Premièrement, on **inspire** l'air par les narines et on remplit la partie inférieure des poumons en ouvrant le diaphragme, puis, graduellement, on laisse l'air gonfler la partie supérieure des poumons en relevant légèrement les épaules. On fait une **première pause** où l'on retient cet air pendant quelques secondes. Puis, on **expire lentement**, le plus longtemps possible en commençant par le bas de l'abdomen (on le sent s'affaisser). On fait alors une **seconde pause** avant de reprendre la prochaine inspiration.

L'un de mes exercices respiratoires favoris consiste à faire ces respirations profondes le matin, dehors, du côté du soleil (vers l'Est) en accompagnant mes inspirations de pensées ou d'images positives. J'inspire en pensant ou imaginant que la force, la joie, l'harmonie pénètrent en moi, nourrissant chacune de mes cellules. Je conserve quelques secondes cet état, puis, en expirant, je pense ou imagine que toutes les pensées de mal-être dont je désire me départir quittent chacune de mes cellules. Je termine ces respirations (en général au nombre de 3) en remerciant et m'entourant d'un beau dôme de lumière blanche, de la tête aux pieds, en pensant que seul l'amour et la paix peuvent pénétrer ou sortir de ce dôme. C'est également à ce moment que j'envoie des pensées d'harmonie à ceux qui en ont besoin.

On peut faire cet exercice à n'importe quel moment de la journée. L'important est de s'habituer à bien respirer en tout temps. Graduellement, nous augmenterons notre capacité respiratoire de façon automatique. Bien respirer avant d'entreprendre une tâche physique (monter un escalier, transporter des objets lourds ou lutter contre le froid, l'hiver), avant d'entreprendre une tâche intellectuelle (rédiger un examen, passer une entrevue) ou dans toute situation qui nous fait peur ou qui nous stress. Ces respirations profondes nous apporterons calme, énergie, force, assurance et bien-être.

BIEN S'ALIMENTER

Notre corps, dont la structure est fort complexe (on a estimé que le nombre des diverses substances qui le constituent est de l'ordre de cent mille), s'est formé et subsiste grâce aux éléments chimiques apportés par les aliments. Tous les jours, des milliers de cellules meurent et doivent être remplacées. C'est le rôle de la nutrition de voir à l'entretien de la vie et à son métabolisme. C'est pourquoi nous devons choisir nos aliments de façon à fournir à notre organisme toutes les variétés de substances dont il a besoin.

L'Être humain vivant dans les pays industrialisés où règnent l'abondance et la vitesse a perdu l'instinct dans le choix de ses aliments. Nous mangeons en vitesse parce que nous manquons de temps, pour satisfaire nos sens, remplir un vide (ennui, manque affectif, insatisfaction, frustration)... Le "fast food" (alimentcamelote) est très à la mode. Tant dans la consommation que dans la préparation, nous sommes à l'heure du micro-ondes et l'on fait "pousser" nos poulets aussi vite que des champignons. À ce rythme, nous nous éloignons des mamelles nourricières de la terre et appauvrissons notre organisme physique. Les animaux possèdent la faculté de choisir spontanément l'alimentation idéale pour leur espèce, ils se laissent guider par leur instinct. La plupart des Êtres humains ont malheureusement perdu cet instinct. Pourtant, il est présent chez le bébé qui pleure pour exprimer sa faim ou ses besoins, quelle que soit l'heure du jour ou de la nuit. Dès que bébé est en mesure de comprendre, on lui apprend à devenir **raisonnable**, c'est-à-dire manger à l'heure fixée par la famille et encore doit-il manger ce que maman a mijoté. Si cela ne correspond pas au moment où bébé a faim, on l'aide un petit peu en transformant le repas en jeu: "Une cuillerée pour maman, une cuillerée pour papa, une autre pour grand-maman, etc." Un bébé au tempérament soumis mange pour faire plaisir à maman, papa, grand-maman et c'est ce qu'il fera toute sa vie: faire des choses dont il n'a pas envie pour ne pas déplaire à ceux qu'il aime. Un bébé moins soumis, crache sa nourriture ou jette son bol sur le plancher de la cuisine, au grand désespoir de sa mère. Celui-ci sera probablement plus rebelle dès qu'on lui imposera une contrainte qui menacera sa liberté.

Lorsque bébé grandit, il découvre les sucreries qu'on lui présente sous forme de gâterie, surprise, cadeau, consolation, récompense. Ne lui dit-on pas: "Si tu manges toute ta viande et tous tes légumes, tu aura un beau morceau de gâteau." Pourquoi les aliments à base de sucre sont-ils l'un des piliers de l'industrie alimentaire? Parce que ces aliments ont une empreinte dans notre cerveau limbique laquelle équivaut à "joie", quelque chose qui est "agréable". J'écoutais un jour, à la radio, un commentateur dire que selon certaines recherches scientifiques, le fait de manger une tablette de chocolat produirait dans l'organisme les mêmes effets que d'être en amour. Cela s'explique du fait qu'une personne en amour vit dans la **joie** d'aimer et d'être aimée. Cette situation joue certainement sur le taux de glucose sanguin. Et c'est pourquoi l'hypoglycémie, caractérisée par une baisse de glucose sanguin, est souvent reliée à un manque de joie dans sa vie.

Revenons à notre bébé. S'il ne veut pas manger sa viande ou

ses légumes, malgré la récompense promise, il est parfois puni: "Va dans ta chambre." Les légumes et la viande portent maintenant l'empreinte d'une punition. Dans son for intérieur, l'enfant peut penser: "Je déteste la viande et les légumes car ils sont responsables de ma punition."

Tous ces conditionnements ont favorisé l'implantation des industries des *aliments -camelote* au détriment des aliments contenant des valeurs nutritives essentielles à notre métabolisme basal. Aussi, devons-nous redécouvrir notre instinct de reconnaître la nature et la quantité d'aliments dont notre organisme a besoin. Ces facteurs peuvent varier d'un repas à l'autre ou d'une journée à l'autre. Certaines personnes, selon les dépenses d'énergie qu'elles font, ont besoin de prendre des repas plus copieux alors que d'autres, plus sédentaires, peuvent très bien fonctionner avec des rations plus restreintes. Ce qui importe, c'est que chacun apprenne à bien connaître ses réactions à telle ou telle qualité ou quantité d'aliments et d'en tirer sa propre ligne de conduite. On a vu que l'excès ou le manque crée le déséquilibre. Alors, attention aux abus alimentaires ou aux diètes sévères!

Bien manger est une chose, bien assimiler l'énergie alimentaire, en est une autre. Le bon fonctionnement de la fonction digestive est tout aussi importante que la nourriture elle-même. Le climat dans lequel nous prenons nos repas aura une répercussion sur notre digestion. Si ce climat est calme et détendu, la digestion se fera très bien; mais si le climat est tendu, teinté d'anxiété et d'inquiétudes, la digestion sera elle-même tendue, donnant parfois naissance à des troubles digestifs.

Un facteur favorisant la digestion est une mastication appropriée qui permet aux aliments d'être fragmentés et insalivés, afin d'être mieux goûtés et ingérés. Le goûter est très important car l'organe du goût, la langue, contient des récepteurs du système nerveux spécialisés dans la détection d'énergie bio-chimique. La sensibilité aux quatre goûts fondamentaux n'est pas la même d'une région à l'autre de la langue.

En regardant le schéma (page suivante)nous comprenons que si nous avalons trop rapidement notre nourriture, ces aliments sont goûtés davantage par la région arrière de la langue, laquelle correspond à l'amer. Comme nos papilles gustatives contiennent des récepteurs de sensibilité du goût qui informent le système nerveux de l'aliment reçu, s'il ne reçoit pas la bonne information, le système nerveux peut activer un désir correspondant au goût dont il se sent privé. Une façon de réduire notre désir de manger des sucreries est de goûter davantage les aliments avec le bout de notre langue.

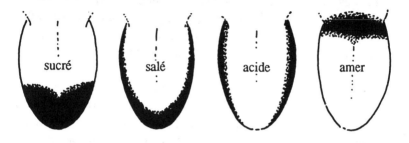

Les personnes dépressives ont souvent tendance à avaler rapidement. Le système nerveux ne goûte alors que l'amer. Peut-on être étonné qu'elles vivent beaucoup d'amertume? Pour ces personnes, le fait de goûter davantage à leurs aliments aura sans doute comme répercussion de mieux **goûter et apprécier** leur vie.

Quelques conseils pour mieux s'alimenter:

1. Choisir des aliments sains, naturels, contenant le moins de produits chimiques possible. Plus ces aliments sont frais, entiers, non décortiqués et si nous respectons un mode de cuisson approprié, ou si nous les mangeons crus, plus ils apporteront de la vie, de l'énergie à notre organisme.

2. Identifier ses besoins: l'heure où l'on ressent la faim, le goût que notre organisme nous transmet et la quantité qu'il requiert. Cela nous aidera à identifier notre propre métabolisme. Chaque personne est différente et ses besoins le sont également. En respectant ces règles, notre métabolisme s'équilibrera et contribuera à conserver ou améliorer notre état de santé.

3. Manger dans un climat de calme, de joie. Éviter les discussions problématiques à saveur émotionnelle pendant le repas. Transformer cette période de la journée en moment de détente. Éviter les dîners d'affaires.

4. Bien mastiquer et bien goûter nos aliments surtout avec le bout de la langue pour nourrir pleinement le système nerveux.

J'ai parlé du goût comme étant essentiel à la nutrition de mon système nerveux qui, lui, ne l'oublions pas, est relié à mes corps subtiles. Mes autres sens ont également besoin d'être nourris, sinon mon équilibre psychique s'en ressentira. Il faut se rappeler que ce que l'on n'utilise pas cesse graduellement de fonctionner. Mes **yeux** ont besoin de voir de la beauté. La beauté a une résonance harmonieuse au niveau de mon âme. Plus nous pouvons voir cette beauté en nous-mêmes plus nous sommes en mesure de la voir à l'extérieur de nous. Les vêtements que l'on porte, l'endroit où l'on vit, tout ce qui nous entoure a une influence considérable sur notre bien-être. On respire mieux dans l'ordre et la propreté. Le désordre, la saleté et la laideur sont contraire à l'harmonie et auront toujours un effet déprimant. Les personnes ayant tendance à être déprimées auraient intérêt à se créer un monde d'ordre, de propreté et de beauté. On sait que l'extérieur reflète l'intérieur, mais l'extérieur influence l'intérieur.

Mes **oreilles** ont besoin d'entendre des sons mélodieux. La nature émet des sons mélodieux comme le chant des oiseaux, le bruit des vagues, le murmure des ruisseaux. Prendre le temps de s'y arrêter, de les écouter, c'est nourrir sa fonction auditive et favoriser le calme à l'intérieur de soi. Certaines musiques et chansons influencent le comportement. Les chansons tristes amènent souvent la mélancolie, les musiques trop stridentes entraînent l'anxiété, l'agressivité. Les personnes tendues ou anxieuses auraient intérêt à choisir des musiques de détente.

Mon **nez** a besoin de sentir de doux parfums. Encore une fois, la nature a pourvu à ce besoin en nous offrant une grande variété d'arômes provenant des fleurs, des fruits, des légumes, des champs et des bois. S'arrêter et respirer ces doux arômes, c'est nourrir sa fonction olfactive, c'est humer la vie. Certaines odeurs sont agressantes et nuisibles à notre santé, comme certains gaz. Notre capacité olfactive a ses limites. Après un certain temps, on ne sent plus ce gaz et pourtant il continue à nous faire du tort. La sagesse serait de ne pas nous imposer d'odeurs désagréables.

Ma **peau** a besoin d'être caressée. Tout comme on polit nos meubles en les frottant avec un chiffon doux, notre peau a besoin d'être touchée tendrement et délicatement, car elle est recouverte

249

à la grandeur de récepteurs sensoriels. La sensation du toucher est importante. Les enfants qui n'ont pas suffisamment été caressés vont souvent s'attacher à une couverture, un petit animal de peluche. Les adultes opteront pour un animal domestique (chat, chien) qui combleront leur besoin de caresses. Ces sensations du toucher ont comme effet de détendre le corps. C'est pourquoi les massages en douceur apportent une détente complète au corps, ils nourrissent son besoin d'affection, stimulent l'énergie et peuvent même aider à mieux voir une situation. Il ne faut pas oublier que l'on peut aussi pratiquer l'auto-massage et caresser son corps, cela fait partie de s'apporter du bien-être. L'un des exercices que je propose lors de mes ateliers consiste justement à caresser la peau de son visage en lui exprimant notre amour (on peut utiliser ou non une crème douce.) Essayez cet exercice durant deux semaines et vous observerez un changement dans la texture de votre peau. Elle sera plus douce et plus lumineuse. Cela vaut également pour ses jambes, son ventre. Oubliez un peu le gant de crins. Aimeriez-vous être caressé par des mains de crins? Il en va de même pour notre peau qui a besoin d'amour et de douceur.

FAIRE DE L'EXERCICE ET PRENDRE LE REPOS NÉCESSAIRE

"GROUILLE OU ROUILLE", cette bonne vieille maxime nous rappelle le besoin de bouger, d'être actif. Tout ce qui vit est en mouvement alors que l'inertie engendre bien la décrépitude. Notre corps physique a besoin de mouvement, d'exercice pour développer sa force, sa résistance, pour brûler le surplus de calories et favoriser une meilleure circulation sanguine. Le progrès nous facilite la vie, la rendant plus confortable, mais il signifie aussi bien souvent "inertie". Au lieu de monter un étage, il nous suffit d'appuyer sur un bouton pour que l'ascenseur nous y conduise, un autre bouton nous permettra de faire laver notre vaisselle, un autre de nettoyer le four ou de changer le canal de la télévision laquelle, d'ailleurs, nous hypnotise pendant des heures, etc.

Il en résulte que la force musculaire de notre corps s'affaiblit, que les artères sont tapissées de dépôts graisseux qui rétrécissent celles-ci et empêchent une bonne circulation. Certains petits vaisseaux sanguins s'atrophient, les muscles reçoivent moins de sang et, par conséquent, moins d'oxygène. L'élimination des déchets du corps est entravée favorisant l'apparition de cellulite, fatigue, surplus de poids ankylosant graduellement tout l'organisme. L'exercice consiste à faire une activité où notre musculature sera active et notre fonction mentale détendue. La marche, la natation, la bicyclette, le ski de randonnée, le patin, sont d'excellents exercices qui favorisent un bon fonctionnement des systèmes nerveux, circulatoire, digestif, excréteur et de soutien. Ce qui importe, c'est de le faire graduellement... On peut laisser son automobile à deux coins de rue de l'endroit ou l'on doit se rendre, emprunter l'escalier plutôt que l'ascenseur, jouer au ballon avec ses enfants, cacher la commande à distance. Bref, autant de petits moyens pour nous permettre de faire plus d'exercice quotidiennement.

Lorsque nous sommes en forme, nos idées sont plus claires, nous avons plus d'enthousiasme, plus d'humour et nous nous sentons merveilleusement plus vivants.

SAVOIR SE DÉTENDRE

Dans notre monde où nous portons l'heure à notre bras, où chaque minute est comptée, se reposer est souvent perçu comme une perte de temps, parfois même comme de la paresse. La détente est réservée pour les vacances. Nos mille et une occupations bouffent tout notre temps et le seul repos que l'on s'accorde est bien souvent le sommeil. Pourtant, se coucher, épuisé de fatigue, n'est pas aussi réparateur. C'est pourquoi on se relève souvent fatigué et si l'on maintient ce rythme, il nous mène jusqu'à l'épuisement, au burn-out. Une étude, réalisée par des chercheurs allemands, a démontré que l'être humain était fait pour faire au moins trois siestes par jour.

La détente est essentielle à notre corps. Elle lui permet de refaire le plein d'énergie. Il est bon de prévoir du temps et des façons de se détendre. Les gens qui prennent la vie trop au sérieux et qui ne prennent pas suffisamment le temps de se distraire sont souvent des candidats aux ulcères d'estomac et à la crise cardiaque. Les hommes d'affaires entrent souvent dans cette catégorie.

La respiration profonde, la relaxation, la méditation, le massage, la musique douce, les bains d'eau chaude ou tourbillon ont un

251

effet calmant et thérapeutique qui favorise la détente. La chaleur aide le corps à se décontracter. Si nous éprouvons de la difficulté à dormir parce que nous sommes trop tendus, un bain chaud avec de la musique douce, à la lueur d'une bougie, permet de bien se relaxer. On peut aussi utiliser une cassette ou un disque de détente dirigée pour nous préparer au sommeil.

Le sommeil et le repos comblent des besoins différents. La fatigue peut être reliée à un manque de motivation ou à un excès d'efforts physiques. Elle nécessite un repos des corps physique et mental. Le sommeil est une fonction qui permet à l'âme de quitter son véhicule pour se baigner dans le courant cosmique, par ses corps éthériques, pendant que le cerveau se régénère et se détend, n'étant plus sollicité par les organes des sens. Une sonnerie du téléphone, en pleine nuit, provoque souvent des palpitations, car elle a oblige les corps subtils à revenir trop rapidement dans notre corps physique.

La nuit est également une période idéale d'apprentissage sans efforts, car nous ne sommes plus soumis ni au temps, ni à l'espace. Nos rêves peuvent nous apporter des réponses, des éclaircissements et même nous libérer d'un surplus d'émotions. Tout comme pour la nutrition, les besoins en sommeil diffèrent d'une personne à une autre. Ce qui importe, c'est d'identifier ses propres besoins et de les respecter en évitant de se comparer à son entourage.

LE SENTIER DU BONHEUR

Le but poursuivi par tout être vivant est d'être heureux le plus longtemps possible et d'éviter la souffrance. Demandez aux gens pourquoi ils travaillent autant. Ils vous répondront qu'ils le font pour s'offrir plus de confort, des vacances, payer les études à leurs enfants. Pourquoi plus de confort, les vacances, etc.? Tout cela, pour être plus heureux.

Demandez à des gens pourquoi ils se marient, il vous répondront que c'est pour être heureux. Demandez à un couple pourquoi ils désirent un enfant, et ce sera encore pour être heureux. Certains diront qu'ils cherchent à rendre les autres heureux. Mais pourquoi? Parce que donner du bonheur les rend heureux.

En définitive, tous les Êtres humains recherchent la même chose: **le bonheur**. Malheureusement, la grande majorité des humains le recherchent dans **"l'avoir"**. Il est dit, dans la sagesse hindoue, que: "Si tu cours après ton ombre (avoir), elle sera toujours devant toi, mais marche dans la lumière (conscience) et retourne-toi doucement, tu verras que l'ombre te suit."

Pour être heureux, il faut éliminer la souffrance. Pour cela, il faut en connaître les causes et les éliminer. C'est ce qu'enseignait Bouddha. Le bouddhisme n'est pas seulement une philosophie basée sur des théories. Il va beaucoup plus loin car il vise à libérer l'Être humain de sa condition de souffrance en l'aidant à atteindre l'état d'éveil de sa véritable nature. Le bouddhisme est davantage une expérience de vie qu'une doctrine. Dans la religion catholique, Dieu est décrit comme un Être unique ayant créé le Ciel et la Terre. Nous sommes ses enfants et Lui, notre père tout-puissant. Dans cette approche, Dieu est vu en dehors de nous. Le bouddhisme pense, au contraire, que Dieu n'est pas extérieur à nous. Nous sommes la divinité exprimée sous forme humaine et possédons, par conséquent, tout un potentiel divin. Le but de notre évolution est de réaliser que nous sommes la divinité en puissance. La majorité des religions impliquent une notion de foi (parfois aveugle). Le bouddhisme, au contraire, invite à la compréhension et à la sagesse. Bouddha disait: "Ne me croyez pas, vérifiez par vous-même. Ne vous laissez pas guider par l'autorité des textes religieux, ni par la simple logique ou les influences de ceux qui vous entourent. **Mais lorsque vous savez par vous-mêmes que certaines choses vous sont favorables, alors acceptez-les et suivez-les. Mais si, au contraire, certaines choses n'ont pas un effet favorable dans votre vie, alors renoncez-y...**" Selon les enseignements de Bouddha, les désirs d'être ou de devenir nous plongent dans la roue du karma et des renaissances.

Prenons la bulle sur l'océan, elle est fière d'être une bulle et espère que tous verront comment elle peut vivre longtemps, comme elle est belle et brillante. Cependant, elle vit dans la peur de crever et elle se crée alors l'illusion qu'elle est une "super-bulle". Puis comme elle appartient à ce monde non permanent, elle crève. Mais elle veut revenir vivre plus longtemps et être, cette fois, plus grosse... Pour cette bulle, c'est: naissance, souffrances, joies temporaires et mort. Puis, le jour où elle en assez et qu'elle comprend qu'elle n'y gagne rien, elle accepte de faire partie de l'océan. C'est alors qu'elle réalise que son potentiel, mis au service du Tout, est amplifié par le Tout. Au lieu de briller à elle seule, elle brille parmi l'océan.

Il existe une voie plus simple qui peut nous sortir de cette roue du karma et des renaissances, un sentier qui nous libère de la souffrance et qui nous conduit au bonheur, au nirvana ou au Ciel pour les chrétiens. Dans la croyance chrétienne, on croit qu'après la mort, si on a eu une bonne vie, on va au Ciel. Il faut savoir que le Ciel n'est pas un lieu physique, mais un état d'être. Ne dit-on pas que nous sommes au septième ciel lorsque nous sommes heureux. Sans expliquer le cycle de l'existence, ce qui serait beaucoup trop long, retenons que ce cycle est fait de naissances, de morts et de renaissances.

Au centre de ce cycle, nous retrouvons trois animaux qui sont: le coq, le serpent et le porc.

Le **coq** représente les désirs et l'avidité (besoin insatiable d'acquérir des biens terrestres).

Le **serpent** représente les passions et la frustration.

Le **porc** représente les illusions et l'ignorance.

Voilà exactement ce qui nous garde dans ce cycle de souffrance.

Le sentier du bonheur, c'est l'amour, la compassion, le détachement par l'éveil de sa conscience. C'est **Être** plutôt qu'**Avoir** bien que cela ne signifie pas ne rien posséder. Cela signifie: *Être en paix; Être en harmonie, Être radieux.*

Pour atteindre cet état d'Être, il nous faut d'abord nous libérer de nos critiques, frustrations, colères, rancunes, haines, peurs, culpabilités, ainsi que de toute pensée ou sentiment contraire à l'amour, à la compassion, à la paix et au non-attachement. C'est ce que nous enseignait également Jésus Christ.Voici comment y parvenir.

SE LIBÉRER DE LA CRITIQUE

Cette critique peut s'adresser à nous comme à notre entourage. La critique provient de l'intransigeance, d'un manque de flexibilité, d'amour et de compréhension. **Ce que nous critiquons chez les autres est très souvent la partie de nous-mêmes que nous n'acceptons pas.**

Par exemple: je critique les gens que je juge injustes, pourtant je fais toujours passer les autres avant moi. Suis-je plus juste? Je critique les gens qui mentent, pourtant je me fais accroire que tout va bien dans ma vie alors que ce n'est pas le cas. Suis-je plus vrai(e)? Je critique les gens qui ne se mêlent pas de leurs affaires, pourtant je passe mon temps à donner des conseils à ceux qui ne me le demandent pas. Suis-je plus respectueux(euse)? Pour m'en libérer, je dois développer plus de tolérance, de flexibilité et je dois accepter que c'est à travers une multitude d'expériences que l'on apprend. Si je me surprends à me critiquer, je peux me demander si j'ai fait de mon mieux. La réponse sera bien souvent "oui". Si elle est négative, je décide de faire mieux la prochaine fois. Si je critique une autre personne, je peux me demander en quoi elle me ressemble et surtout ce que je n'accepte pas de moi-même dans ce que je lui reproche. Ces questions m'aideront à me libérer graduellement de la critique destructive.

SE LIBÉRER DE LA DÉCEPTION, DE LA FRUSTRATION ET DE LA DÉVALORISATION

Nous ne réalisons pas toujours que nous pouvons diriger nos pensées à volonté. Très souvent, nous nous en remettons aux autres pour nous former une opinion sur nous-mêmes. Nous obéissons à des "on dit", "il paraît que", "il faut", ou "il ne faut pas", ou encore à des "C'est comme ça.", "C'est la vie.", "On n'a pas le choix."

À vouloir répondre à l'image que nous croyons que les autres attendent de nous, nous finissons par oublier **qui** nous sommes vraiment. Nous nous comparons à ceux ou celles que nous considérons mieux que nous et nous nous dévalorisons, étouffant ainsi le germe même du potentiel qui sommeille en nous. Plus tragique encore, nous laissons les pensées négatives (vibrations) des autres nous envahir, nous laissant vidé de notre énergie et affaibli mentalement.

Imaginons que nous sommes de bonne humeur et que quelqu'un d'irritable et d'agressif nous aborde. Nous pensons alors qu'il nous a rendu nerveux. Toutefois, je peux considérer la chose d'une manière différente. Mes attentes de le voir aimable, en harmonie, équilibré, n'ont pas été comblées. À cause de cette déception, je suis tendu.

Si j'apprends à diriger mes pensées, je serai en mesure de comprendre que cette personne vit des difficultés intérieures. Je pourrai alors l'écouter et saisir ce qu'elle désire. La personne se sentira accueillie dans ce qu'elle exprime difficilement et son agressivité s'atténuera. Elle pourra parler calmement de ses problèmes, ce qui me permettra à mon tour de lui faire connaître calmement mon opinion. Elle se trouvera alors dans un état de réceptivité et je me trouverai protégé de tout emportement. Où se situe la différence entre ces deux exemples. J'ai changé mon attitude envers l'autre. Il est évident que pour en arriver à la maîtrise de ses pensées, il devient essentiel d'acquérir une **plus grande connaissance de soi**, un **calme intérieur** et un **certain détachement**. Pour certains, détachement signifie indifférence. Le détachement n'est pas de l'indifférence, mais plutôt une non-attente. Par exemple, si cette personne m'apprécie, j'en suis ravi(e) pour nous deux. Si, au contraire, elle ne m'apprécie pas, j'accepte que c'est son choix et je n'en suis pas déçu(e) car je suis en paix avec moi-même et je m'apprécie à ma juste valeur.

SE LIBÉRER DE NOS COLÈRES, RANCUNES ET HAINES

Une histoire raconte qu'un homme, debout dans le métro, reçut un coup violent dans le dos. En colère, il se retourna, prêt à frapper celui qui lui avait asséné ce coup. Il se rendit compte alors que celui qui l'avait frappé était aveugle et qu'en cherchant, à tâtons la barre d'appui, il l'avait frappé avec sa canne. L'homme, oubliant sur le champ sa colère, aida l'aveugle.

Si l'on pouvait comprendre que ceux qui nous font du mal sont souvent des aveugles, il serait plus facile de nous libérer de nos colères, rancunes et haines. Combien de fois, en thérapie, ai-je reçu des personnes qui conservaient des rancunes envers l'un de leurs parents, à cause d'un geste ou d'une parole impatiente qui les avait blessées. Lorsque je leur demandais si elles avaient déjà eu des gestes d'impatience ou des paroles irréfléchies et blessantes envers l'un de leurs enfants, la réponse était toujours affirmative. J'enchaînais en leur demandant si elles aimeraient que leur enfant leur en veuille toute sa vie pour des moments où elles avaient perdu la maîtrise de leurs gestes ou de leurs paroles, ou qu'elles l'avaient ignoré. La réponse était toujours "non" et ces personnes devenaient alors plus compréhensive. **Il n'y a pas de méchants mais seulement des souffrants et des ignorants.** Le Christ lui-même disait: "Père, pardonne-leur car ils ne savent pas ce qu'ils font." Avons-nous compris ce grand message d'amour? Il est facile d'aimer ceux qui sont gentils envers nous, qui pensent comme nous, qui nous disent des choses qui nous font plaisir. Mais aimer celui qui nous blesse par son ignorance ou par sa souffrance, tenter de comprendre ce qu'il vit et lui tendre la main sans rien espérer en retour, voilà ce qu'est le véritable amour. Les sentiments de haine et de rancune détruisent bien plus la personne qui leur donne asile et qui les nourrit que la personne vers qui ces sentiments sont dirigés. Une personne heureuse et en harmonie ne peut pas en blesser une autre, car il émane d'elle compréhension, compassion et respect.

SE LIBÉRER DE LA PEUR

La grande majorité de nos peurs proviennent de notre imagination. On imagine le pire. Nos pensées sont tournées vers des images, des idées négatives. Comme on l'a déjà vu, l'imagination est l'un des plus grands pouvoirs que possède l'être humain. Il s'agit donc d'utiliser notre imagination à des fins plus agréables.

Par exemple, si j'ai peur en automobile, je peux m'imaginer que celle-ci est entourée d'une lumière blanche (hautes vibrations protectrices) et me convaincre qu'elle est ainsi totalement protégée. Je peux aussi m'entourer d'un dôme lumineux. Puis, à l'image, j'associe ensuite une affirmation du genre: **"Je suis sous la protection divine et tout va bien; je me rends à destination dans le calme, la joie et le bien-être."** Puisque je n'utilise plus la peur, ni dans mes affirmations, ni dans mes images, je m'en libère graduellement. N'oublions pas cependant un détail d'importance: il me faut aussi agir, c'est-à-dire monter dans l'automobile, pour dépasser graduellement cette peur et aller à la limite de mes capacités. La première fois, le trajet que j'effectuerai devra être bref, mais, graduellement, je le prolongerai jusqu'à ce que je me sente à l'aise.

Lorsque j'ai commencé à animer des groupes, j'avais très peur d'être jugée, peur de ne pas être à la hauteur, peur de décevoir les gens. Au fond, je ressentais cette peur intense de ne pas être aimée telle que j'étais et pour moi. À cette époque, ne pas être aimée, signifiait être rejetée. Aussi, me fis-je l'affirmation suivante que je me répétais jusqu'à cent fois par jour: **"J'ai tout en moi pour réussir et je réussis dans tout ce que j'entreprends."** De plus, je m'imaginais régulièrement diriger avec brio mon groupe de travail et cette habitude confiante m'a beaucoup aidé à développer mon assurance et à dépasser mes peurs.

Il faut savoir que la peur est mauvaise conseillère et qu'une décision basée sur la peur est très souvent une décision qui ne m'est pas favorable.

Par exemple, si:

• j'ai peur d'être déçu(e) ou que ça ne fonctionne pas: je n'entreprends rien;

• j'ai peur d'être rejeté(e) par un groupe: je reste à l'écart;

• j'ai peur de dire non: j'accepte en étant furieux de m'être fait avoir;

• j'ai peur de faire de la peine ou de décevoir les autres: je m'oublie complètement;

• j'ai peur de ce que les autres peuvent penser ou dire: j'agis en fonction des autres;

• j'ai peur d'avoir ou d'être plus que les autres: je me limite dans ce que je peux avoir ou être;

• j'ai peur de manquer d'argent: j'achète le prix et non mon véritable besoin ou désir.

Chaque fois que je laisse la peur m'envahir, j'en subis les manifestations comme nous l'avons vu précédemment au chapitre des maladies reliées à la peur. Lorsqu'on n'a rien à perdre et tout à gagner, pourquoi hésiter? C'est l'ensemble de ces risques et victoires qui développera davantage mon assurance et ma confiance en moi et en tout ce qui peut arriver.

Donc, en résumé, pour se libérer de nos peurs, il s'agit de mettre l'emphase sur l'imagination agréable et l'affirmation calme et positive, de s'y abandonner dans la pratique jusqu'à ce que cette pensée devienne réalité. On pourra relire le chapitre sur les maladies reliées à la peur, en ce qui concerne les phobies.

SE LIBÉRER DE LA CULPABILITÉ

Si la peur nous relie à l'inconnu et au futur que nous appréhendons par notre imagination débridée, la culpabilité, elle, nous alourdit d'un "trop bien connu" et d'un passé dont il serait bénéfique de se décharger. Chercher à oublier est vain et conduit à l'impuissance face à son fardeau tant que l'on croit que la dette, la punition, la sentence n'a pas été réparée.

Comme nous l'avons vu au chapitre des maladies reliées à la culpabilité, lorsque l'on se sent coupable, on a tendance à s'imposer soi-même le châtiment. Les formes d'autopunition ne se manifestent pas seulement par un mal-être, mais aussi par des pertes financières, des restrictions dans ses biens, des incidents ou même des accidents.

À l'extrême, on peut croire aussi que la dette n'est pas réparable. La personne pourra consciemment ou inconsciemment opter pour une conduite qui la mènera à la prison, à la folie ou au suicide. L'événement déclencheur peut n'être qu'accessoire puisque notre décision est liée à une ancienne culpabilité que l'on ne peut se pardonner. Là encore, nous sommes responsable de la sentence que nous nous infligeons. Il faut prendre conscience de ce processus d'autodestruction afin d'y mettre fin.

Pour en prendre conscience, il est bon de savoir que la façon dont nous nous punissons est souvent en rapport avec l'objet de notre culpabilité. À titre d'exemple: à l'âge de 19 ans, mon fiancé m'offrit un magnifique manteau de lynx. Comme j'étais la seule parmi mes amies à posséder un si beau manteau, je me sentis vite coupable et il m'arriva de le brûler contre un radiateur électrique. **Je me sentais coupable de posséder "plus" que les autres.** Cette forme de culpabilité est des plus fréquentes lorsqu'on se compare à notre entourage.

Il faut accepter que ce que l'on a n'enlève rien aux autres. Tout ce qui existe matériellement est de l'énergie manifestée et tout Être humain qui peut utiliser son cerveau peut matérialiser ses désirs. Cependant, un fait demeure: c'est que chacun possède exactement la capacité d'énergie qu'il s'est octroyée par ses efforts et son travail. Cette règle est aussi valable pour les possessions matérielles que pour les qualifications manuelles, mentales ou spirituelles. Ce que l'on possède est ce qui nous revient par droit divin. Si ce n'était pas le cas, ces acquis nous fuiraient.

Il y a en ce monde autant d'abondance que d'ignorance et c'est l'ignorance qui engendre la pauvreté et la misère. Si tous les êtres vivants choisissaient l'abondance, par leur travail (physique, mental et spirituel), la réserve d'énergie n'en serait pas épuisée pour autant.

Plus je deviens conscient et attentif à tous ces signaux de culpabilité et plus il devient facile pour moi de m'en libérer. Je pourrai me demander si j'ai posé un geste volontairement, en vue d'être en retard, en vue de blesser telle personne, etc. Ma réponse sera presqu'inévitablement un "non" car j'ai agi du mieux que je le pouvais à l'instant où j'ai posé le geste. Ce que j'apprends de l'expérience et des conséquences de mon ignorance fera en sorte que je m'y reprendrai mieux une prochaine fois. À quoi bon alourdir mon fardeau d'une autopunition pour me racheter sans fin?

Si un enfant de deuxième année scolaire s'en voulait de faire plusieurs erreurs d'apprentissage, il n'irait pas bien loin. Il accepte que cela fait partie du jeu d'apprendre. La vie est une grande école. N'avons-nous pas consacré l'expression "L'école de la vie"?

Un autre aspect de la culpabilité qui est souvent mal compris est l'intention arrêtée de nuire, de souhaiter malheur à son prochain. Supposons, par exemple, que je veuille négocier une affaire délicate avec un associé pour répondre à un appel d'offre urgent. Au cours de nos discussions, nous nous brouillons et les choses traînent. Nous perdons finalement le contrat tant souhaité. En colère et plein de rancune, je souhaite à mon partenaire de faire de mauvaises affaires pour le reste de ses jours. Je repense souvent à cela et me complais dans mon attitude mentale. Dix mois plus tard, j'apprends que son entreprise a fermé ses portes. Il ne faut pas croire que ce qui lui est arrivé soit dû à mes souhaits, mais plutôt à ce que cette personne avait à vivre personnellement. J'accepterai donc que c'était ma souffrance, mon mal-être qui se manifestait par ces paroles, pensées ou souhaits et me pardonnerai comme je pardonnerais à quelqu'un qui souffre de me blesser ou de m'avoir blessé. (On pourra revoir les maladies reliées à la culpabilité.)

Bref, pour atteindre cet état de bien-être et le conserver, nous devons avancer sur le sentier de l'amour universel qui implique la non-attente, le détachement et la gratuité. Cet amour commence par soi et s'amplifie par tout ce qui entre en relation avec soi, c'est-à-dire les Êtres humains, les animaux et la nature en général. Il est fait de respect, d'appréciation, de liberté absolue et de compassion. Il crée une vibration si puissante qu'il transforme toute personne brûlant à son feu. Il apporte la paix, la santé et le bonheur. Il ouvre la porte de la conscience, il est lumière dans les ténèbres, libération de la souffrance et du karma (ou renaissances).

CONCLUSION

C'est dans un langage simple, fait d'images, d'exemples et de faits vécus que j'ai voulu apporter au lecteur des réponses face à Dieu, à la vie et aux causes qui engendrent le mal-être et la souffrance. Je ne désire nullement imposer mes vues ou prétendre que cette approche est la seule qui soit valable. Bien au contraire, je crois que dès qu'une personne décide de se prendre en main, quel que soit le changement qu'elle apporte et à quel que niveau de son être que ce soit, c'est à toute sa vie qu'elle apporte ce changement. Les personnes qui optent pour un changement dans leurs habitudes alimentaires modifient automatiquement leur façon de penser et peuvent se libérer de bien des maux. D'autres choisiront le yoga, la méditation, le jeûne, l'acupuncture, le massage, la réflexologie, etc. Chez certains, ce changement aura lieu après un traitement, une hospitalisation ou une opération chirurgicale.

À chacun de trouver la voie qui lui convient et qui le conduit vers un mieux-être. Il n'en demeure pas moins que plus la personne éveille sa conscience, plus elle se libère de ses dépendances (thérapeutiques et médicamenteuses), plus elle est libre et maître de sa vie et de son mieux-être.

Mon désir le plus cher est que médecins, thérapeutes et guérisseurs se donnent la main pour coopérer aux mieux-être physique et psychologique des gens afin d'apporter un bien-être général dans les sociétés, les nations, sur toute la Terre et ainsi participer à l'harmonie de l'Univers.

BIBLIOGRAPHIE

AIVANHOV OMRAAM, M., *Harmonie et santé*, Editions Prosveta, 1987.

AUDET, FILTEAU, TREMBLAY, *Des molécules à l'homme*, Editions Centre de psychologie et de pédagogie, 1966.

BAILEY, Alice A., *La conscience de l'atome*, Editions Lucis, Genève, 1975.

BAILLARGEON-BOUDREAU, *Etre soi*, Editions Synergie, 1987.

BAUGÉ-PRÉVOST, J., *Précis de naturothérapie*, Editions Celtiques, 1983.

BOURBEAU, Lise, *Qui est-tu?*, Editions E.T.C. Inc., 1988.

DE SURANY, Marguerite, *Pour une médecine de l'âme*, Editions Guy Tredaniel, 1987.

DEMERS, DESMARAIS, DRAINVILLE, PIRLOT, COUILLARD, *L'Homme dans son milieu*, Editions Guérin, 1968.

DESJARDINS, Édouard, *La médecine au foyer*, Editions Grolier, 1980.

DUTOT, F. et L.L. LAMBRICHS, *Les fractures de l'âme*, Editions Robert Laffont, 1988.

DYER, Wayne W., *Vos zones erronées*, Editions Sélect, 1977.

FITTKAU-GARTHE, H., *Pouvoirs et effets des pensées*, Centre de Raja-Yoga de Québec, 1988.

FONTAINE, J., *La médecine du corps énergétique*, Editions Robert Laffont, 1983.

FONTAINE, J., *Nos trois corps et les trois mondes*, Editions Robert Laffont, 1983.

HAY, Louise L., *You Can Heal Your Life*, Hay House, 1984.

RESNICK, HALLIDAY, *Physics*, Editions John Wiley & Sons Inc., 1966.

SIRIM, *Alors survient la maladie*, Editions Empirika/Boréal Express, 1984.

TURGEON, Madeleine, *La réflexologie du cerveau pour auditifs et visuels*, Editions de Mortagne, 1988.

ZARAI, Rika, *Mes secrets naturels pour guérir et réussir*, Editions Jean-Claude Lattes, 1988.

ANNEXE I

Cher ami,
Chère amie,

J'e souhaite que la lecture de ce volume t'aura apporté des lumières importantes dans ta vie. Si suite à ce volume, toi ou l'un des tiens vous vous êtes libérés d'un malaise ou d'une maladie, il serait merveilleux que tu puisses m'en faire part afin d'en constituer un dossier qui ouvrira peut-être les portes entre les médecines classiques et les nouvelles médecines. Ces informations demeureront toutefois confidentielles pour la population. Je te remercie de m'aider à réaliser l'objectif que je me suis donné celui d'unir les médecines.

Ton amie Claudia,

Claudia Lainville

Adresse: 153 du Sommet
Vermont sur le lac
Stoneham (Québec)
Canada
GOA 4PO

ANNEXE 11

C laudia Rainville a fondé le Centre d'Harmonisation Intérieure l'Éveil Radieux inc., qui vous offre des services de consultation individuelle avec des thérapeutes formés par son approche en métamédecine.

Le centre offre aussi des ateliers de thérapie de groupe, où le participant apprend comment réveiller et libérer ses mémoires émotionnelles, à maîtriser ses émotions, à se faire confiance et à développer son plein potentiel afin de vivre l'harmonie physique, énergétique et spirituelle.

Claudia Rainville consacre maintenant ses énergies à la formation de thérapeutes en métamédecine, aux thérapies de groupe et aux nombreuses conférences qu'elle donne au Québec et à l'extérieur. Elle offre aussi des ateliers d'Éveil à la spiritualité en République Dominicaine. Ces voyages-ateliers sont organisés par Les Productions Terre d'Émeraude qu'on peut rejoindre au 1-800-567-5577.

Pour renseignements et réservations pour les thérapies individuelles et de groupe:
Centre d'Harmonisation Intérieure l'Éveil Radieux inc.
2406, ch. des Quatre-Bourgeois, bureau 302
Sainte-Foy (Québec)
G1V 1W5
Tél: (418) 654-0646

INDEX

TRI-GRAPHIC